퀴어이론 입문

Queer Theory an Introduction

퀴어 이론 입문

지은이 ✻ 애너매리 야고스
옮긴이 ✻ 박이은실
발행 ✻ 고갑희
주간 ✻ 임옥희
편집·제작 ✻ 사미숙
펴낸곳 ✻ 여이연
주소 서울 종로구 명륜4가 12-3 대일빌딩 5층
전화(02) 763-2825
팩스(02) 764-2825
등록 1998년 4월 24일(제22-1307호)
홈페이지 http://www.gofeminist.org
전자우편 alterity@gofeminist.org

초판 1쇄 인쇄 ✻ 2012년 7월 20일
초판 2쇄 발행 ✻ 2017년 7월 24일

값 15,000원
ISBN 978-89-24729-24-7 93300
잘못된 책은 바꿔 드립니다.

퀴어이론 입문

애너매리 야고스 저
박이은실 역

도서출판 **여이연**

일러두기

1. 영어 인명과 책 제목은 처음에 나올 때에만 본문에 병기하였으며, 중요
   한 개념어일 경우 각 장에서 처음 나올 때만 원어를 괄호 없이 병기하
   였다.

2. 원서에 이탤릭체로 나오는 강조는 역서에서 진하게 표시하였다.

3. 책 제목은 『 』, 논문 제목은 「 」, 신문과 단체 이름 등은 < >로 표시하
   였다.

4. 이 책의 원서에 있는 미주 체제를 역서에서도 그대로 따랐으며, 역주는
   본문 중에 *로 표시하되 짧은 내용은 괄호를 쳐서 본문 중에, 긴 내용은
   각주 형태로 설명하였다.

차례

'퀴어 이론'의 호소력은 그것이 정확히 무엇을
의미하는가에 대한 어느 누구의 감도 넘어선다.

마이클 워너Michael Warner

1. 들어가며

한때 '퀴어'라는 용어는 좋게 말하면 동성애자들을 일컫는 말이었고 나쁘게 말하면 동성애 혐오적인 용어였다. 최근 몇 년 동안 '퀴어'는 또 다른 방식으로 쓰이게 되었다. 때로는 문화적으로 주변화되어 있는 성적 정체성들을 통틀어 일컫는 용어로 쓰이기도 했고 때로는 보다 더 전통적인 레즈비언/게이 연구들에서부터 발전해 나와 현재 발생기에 있는 이론적 모델을 설명하기 위한 용어로 쓰이기도 한다. 이 용어가 사용되어 온 상황에 대한 이런 간단하고 부분적인 설명에서도 분명히 드러나는 것은 퀴어가 형성과정 중에 있는 범주라는 것이다. 이 말은 단순히 퀴어가 여전히 더 견고해 질 필요가 있고 좀 더 일관되게 설명되어야 한다는 뜻이 아니라 퀴어가 규정하는 바가 확정될 수 없다는 점, 즉 그 의미가 갖는 탄력성이 퀴어를 구성하는 특징들 중 하나라는 말이다.

이런 상황에서 퀴어 현상에 대해 소개하는 글을 생산하는 것은 이해받기 어려운 일로 보일 수도 있고 심지어 쓸데없는 일로 보일 수도 있다.

부분적으로 퀴어의 의미가 갖는 영향력, 퀴어의 정치적 효능은 퀴어가 규정에 저항하는가 아닌가에, 즉, 주장하는 바에 대한 소유권을 거부하는가 아닌가에 달려있다. 이는 퀴어 이론이 '규범적인 학문 분야가 되어가면 갈수록 "퀴어 이론"이 주장하는 만큼 퀴어해 질 수 없기'(Halperin, 1995:113) 때문이다. 주디스 버틀러(Butler, 1994:21)는 '퀴어의 규범화는 결국 퀴어의 비극적인 종말이 될 것이다'라고 경고하였고 로렌 벌랜트 Lauren Berlant와 마이클 워너 Michael Warner도 '퀴어 이론이라고 불릴 수 있는 거의 모든 것들이 급진적인 예상의 성격을 갖기 때문에 그것을 요약하려는 시도는 무엇이든 부분만을 거칠게 말하는 것이 될 것'(Berlant and Warner, 1995:344)이라고 지적하였다. 퀴어 이론을 개괄하려는 시도와 퀴어 이론을 보편적 지식을 추구하는 이들이 익숙해져야 할 중요한 사상적 학파로 인식하려는 시도는 퀴어 이론을 길들이는 위험을 감수하는 것이고, 퀴어 이론 자체가 고정시키는 것을 거부해 왔음에도 오히려 퀴어 이론을 고정시키는 위험을 감수하는 것이다. 이 책은 퀴어적 인식이라는 유동적인 장을 안정화하려는 시도를 하지 않는다. 대신 바로 그 유동성의 지도를 그리고 그 지도를 지난 백여 년 가까운 시간동안 전개되어 온 성적 범주들의 역사 안에 위치시키고 있다. 이 책은 '퀴어'라는 제명 아래 진행되어 온 정치적이고 이론적인 작업들을 구체적으로 상술하면서 퀴어란 '가능성들의 구역 a zone of possibilities'(Edelman, 1994:114)이고 그 구역은 아직은 정연하게 표현될 수 없는 잠재성에 의해 항상 변화하고 있다고 말한다.

1990년대에는 대학에서 레즈비언 연구와 게이 연구가 급격히 발전했

는데 이러한 발전은 '퀴어'라는 용어의 전개와 함께 나란히 진행되었다. 퀴어란 특정한 정체성 범주와는 다른 것이기 때문에 어떤 토론에도 가져다 붙일 수 있었다. 그렇지만 퀴어를 다루는 많은 경우에서처럼 이 연구도 퀴어를 주로 '레즈비언'과 '게이'라는 보다 더 안정적이고 인지 가능한 범주와의 관계 안에서 독해하고 있다. 학문 영역 형성의 역사에서 보면 레즈비언과 게이 연구 자체도 상대적으로 최근의 산물이고 퀴어 이론은 그 중에서도 가장 최근의 제도적 변화라고 볼 수 있다. 레즈비언과 게이 연구라는 간학문적 장을 위해 특화된 새로운 학술지들이 출간되었을 뿐만 아니라 다른 관심분야를 가진 정기간행물도 퀴어 이론에 특별히 지면을 할애했다. 퀴어 이론을 전문적으로 다룬 학술지로는 1993년에 북미에서 처음 발간된 『지엘큐: 레즈비언/게이 연구_GLQ: A Journal of Lesbian and Gay Studies_』와 호주에서 1995년에 첫 호가 나온 『비판적 퀴어연구_Critical inQueeries_』가 포함된다. 퀴어 이론을 전문적으로 다루지는 않지만 한 호 전체 지면을 퀴어 이론에 할애했던 정기간행학술지로는 『사회학 이론_Sociological Theory_』(1994년 여름호)과 『사회주의 평론_Socialist Review_』(1992년 22권1호), 그리고 『사회 텍스트_Social Text_』(1991년 9권4호)가 있다. 한편 『차이들: 페미니스트 문화연구_differences: A Journal of Feminist Cultural Studies_』는 1991년과 1994년 두 번에 걸쳐 퀴어 사안을 다루었다. 『호주 매체 정보_Media Information Australia_』와 『민진_Meanjin_』도 각각 1995년 후반과 1996년 초기에 퀴어 사안을 다루었다. 대학들이 레즈비언과 게이 이론 과목을 개설하기 시작했을 뿐만 아니라 이 과목들 중 상당수가 퀴어에 대한 관념을 중심에 두고 구성되었다. 레즈비언과 게이 연구에 대한 이러한 '퀴어화하기

queering›는 격렬한 논쟁주제가 되었다. 어떤 이들은 젠더를 일관된 것으로 보는 억압적인 관념의 흔적들을 퀴어가 급진적으로 약화시킨다고 주장했고 또 어떤 이들은 퀴어의 전방향적 섹슈얼리티pan-sexuality가 반동적이고 심지어 비페미니스트적이라고 비판했다.

퀴어를 정의내리기 위해 그것의 한계를 정하는 데 있어 어떤 결정적인 합의는 없지만— 바로 이 비결정성은 널리 소개되고 있는 퀴어의 매력들 중 하나인데— 그것에 대한 일반적인 윤곽은 자주 요약되고 또 논쟁된다. 거칠게 말하면 퀴어란 염색체적 성sex, 젠더gender 그리고 성적 욕망 sexual desire 사이의 소위 안정된 관계에 모순들incoherences이 있다는 것을 극적으로 드러내는 태도 혹은 분석 모델을 가리킨다. 안정성 모델— 보다 더 적절하게 말한다면 이성애가 바로 이 안정성 모델의 효과라고 봐야할 때에 오히려 이성애를 안정성의 근원이라고 주장하는 것— 을 거부하면서 퀴어는 성, 젠더, 욕망 사이의 부조화에 초점을 맞춘다. 제도적으로 퀴어는 레즈비언과 게이 주체들과 가장 두드러지게 관계해 왔지만 퀴어적 분석틀은 이성의복애호cross-dressing, 간성성hermaphroditism, 젠더 모호 gender ambiguity, 젠더 교정 시술gender corrective surgery과 같은 주제들 또한 포함한다. 복장전환transvestite적인 수행을 통해서든 혹은 학문에서의 해체를 통해서든 퀴어는 이성애를 안정화하는 세 용어들 사이의 모순을 찾아내고 활용한다. '자연 그대로의' 섹슈얼리티란 존재불가능하다는 것을 보여주면서 퀴어는 '남자' 혹은 '여자'라는 말과 같은 명백히 문제될 것이 없어 보이는 것에도 의문을 제기한다.

'퀴어'라는 대립각을 만드는 말이 최근 전적으로 고상한 학문 담론에

조차 개입하고 있는 것은 전통적 모델들이 균열되고 있다는 것을 말해주는 것이다. 또한 그 모델들이 여전히 지속되고 있음도 보여주고 있다. 성들sexes, 젠더들, 그리고 섹슈얼리티들을 안정된 것이라고 여기는 관념은 잘못된 것이라고 주장하는 퀴어 이론은 정체성을 복합적이고 불안정한 위치들positions의 무리로 설정하는 후기구조주의적 작업을 특히 레즈비언/게이의 관점에서 재작업하면서 발전했다. 그렇지만 퀴어가 항상 '레즈비언과 게이'에 대한 정교한 설명으로 받아들여지거나 이들을 일컫는 줄임말로 여겨지는 것은 아니다. 많은 이론가들이 퀴어를 '또 하나의 담론적 지평, 성적인 것을 사고하는 또 하나의 방식'(de Lauretis, 1991:iv)으로 환영하지만 또 다른 이들은 퀴어의 효능에 대해 의구심을 갖기도 한다. 가장 흔히 얘기되는 불안은 퀴어가 표면적으로는 젠더 중립적으로 보임에도 불구하고 남성성이 그 핵심에 다시금 자리잡는 것은 아닌지, 초월적인 퀴어가 젠더라는 지배 체계를 간과하여 20세기 후반 서구 사회의 물적 조건을 고려하지 못하는 것은 아닌지, 퀴어가 역사에 대한 기억을 상실한 채 이전 시기 게이 해방운동이 제기했던 입장과 요구를 단순히 반복하고 있는 것은 아닌지, 퀴어가 대변하는 대상이 거의 무제한적이기 때문에 레즈비언/게이 집단과 동맹관계를 갖고 있지만 이 집단들보다 정치적으로 덜 급진적인 정체성 범주들 또한 포함하고 있는 것은 아닌지 등에 대한 우려들이다.

어떤 양가성들이 퀴어를 구조짓든 간에 최근 퀴어가 재배치되면서 그것이 레즈비언과 게이 연구에 실질적인 영향을 주고 있다는 것은 의심할 여지가 없다. 심지어 장장 650쪽에 달하는— 제목은 마치 최근에 일어나고 있는 퀴어의 확장에 반(反)하는 입장을 취하는 듯 보이는—『레즈비언/게이 연구 선집The Lesbian and Gay Studies Reader』의 서문은 변호라기보다 오히려 방어적으로 보이는 내용으로 끝난다.

이 선집의 제목을 무엇으로 할지 결정하는 것은 어려웠다. 우리 스스로도 (역자: 퀴어라는) 용어에 애착을 갖고 있지만 이 책에서 그리고 '퀴어 연구Queer Studies'라는 제목을 통해 퀴어에 대해 말하는 일을 최대한 하지 않기로 결정했다. … '레즈비언/게이'를 쓰기로 한 것은 레즈비언/게이 연구가 이미 기존의 질서를 적극적으로 교란시키고 퀴어함에도 불구하고 마치 덜 그렇듯 보이게 하려는 의도가 전혀 없음을 보여주려는 것이다(Abelove et al., 1993:xvii).

'레즈비언/게이 연구'라는 형식을 고집하면서도 책의 편집자들은 그것이 보수적인 태도로 비쳐질까봐 걱정한다. '레즈비언/게이 연구가 … 이미 퀴어한데 덜 퀴어하게 보이도록' 만들 생각이 전혀 없다는 것을 주장하는 가운데 편집자들은 이전의 형성물이 이미 퀴어하다는 생각을 내비치고 있다. 이것은 결코 이상한 일이 아니다. 당대에 일어난 퀴어의 확산은 부분적으로는 퀴어가 이미 항상 동성애 혐오에 반하는 세력들 중 주된 세력이었다는 주장 덕분에 가능했던 것이다. 퀴어는 레즈비언/게이 연구를 강력하게 재설정했는데 이는 퀴어가 과거를 소급하면서 퀴어 자신을 그 프로젝트의 중심에 놓을 수 있었다는 것에서 드러난다. 퀴어 이론의 제도적 성장은 흔히 1990년대 초기의 학문적 발전과 연관된다. 하지만 퀴어 이론의 시발 시기를 점점 더 일찍 잡으려는 경향은 퀴어가 양면적임을 시사한다. 즉, 퀴어는 급진적으로 새로운 개념적 모델일 뿐 아니라 섹슈얼리티에 대한 기존의 지식들에 겹쳐져 있으면서 동시에 기존의 지식에 새로운 정보를 제공하는 모델이기도 하다는 것이다. 맨디 머크Mandy Merck는 『변태들Perversions』이라는 제목의 '일탈적 읽기' 모음집을 소개하면서 이 책이 "퀴어 연구의 시대보다 이전인 1970년대 후반 런던에서 시작했다"(Merck, 1993:1)고 설명하고 있다. 웨인 퀘스텐바움(Wayne Koestenbaum, 1993:18) 역시 버타 헤리스Bertha Harris의 소설 『애인Lover』을 "이론이 힘들게 이해하게 된 1976년 이래의 모든 것을 선견지명을 가지고 설명하고 있는 퀴어 이론의 풍자극 버전"이라고 묘사하면서 퀴어를 앞당겨 소급하고 있다. 가이 호켄헴Guy Hocquenghem의 『동성애적 욕망Homosexual Desire』 1993년판 뒤표지에 적힌 추천글에서 더글라스 크림Douglas Crimp은 이 책이 '스톤월Stonewall 항쟁과 '68년 5월 혁명 여파가 있던 이십년 전에 쓰였지만 지금 우리가 퀴어 이론이라고 부르는 것의 최초 예라고 충분히 볼 수 있을 것이다라고 주장하고 있다.

전진과 후진을 동시에 해 오면서 퀴어는 보다 전통적인 레즈비언/게이 연구가 진화 확장된 것으로 여겨질 뿐만 아니라 거꾸로 레즈비언/게이 연구의 조상으로 지명되기도 한다. 이런 문제는 이브 코소프스키 세즈윅Eve Kosofsky Sedgwick의 『두 남자 사이: 영문학과 남성 동성사회적 욕망 Between Men: English Literature and Male Homosocial Desire』의 첫 번째 판본과 두 번째 판본의 차이에서 분명히 드러난다. 1985년에 처음 출간되어 1992년에 새로운 서문과 함께 재판이 나온 『두 남자 사이』는 게이와 퀴어 사이의 양가적이지만 또한 생산적이기도 한 관계가 어떻게 진화했는지를 극적으로 보여주고 있다. 1992년 판본의 뒤표지에는 책의 일부분이 실려 있는데 그 내용은 이 책의 출간이 현저하게 굳혀놓은 중요한 영역 안에 이 책을 위치시키고 있다.『롤링 스톤*Rolling Stone*』에 따르면 이 책은 '게이 연구를 촉발시킨 텍스트로서 보편적으로 인용되고 있고'『빌리지 보이스 문학 부록*Village Voice Literary Supplement*』은 '여러 방면에서 퀴어 이론을 잠복기로부터 일목요연한 학문 분과로 탈바꿈시킨 책'이라고 묘사하고 있다. 여기에서 퀴어와 게이가 동의어처럼 보인다면 새로 쓴 서문에서는 세즈윅이 이 개념들이 동원되는 동안의 역사적인 전환과 학문적 전환을 극적으로 보여주고 있다. 세즈윅은 '그 시기(1985년)에 미국 학계에서는 이미 게이/레즈비언 연구 운동이 성장하고 있었지만 그때부터 1992년 사이에 젠더들, 인종들, 그리고 성적 규정들 사이에서의 식별 기준들과 욕망의 교차성을 공공연한 토대로 삼는 엄청나게 생산적인 퀴어 공동체가 등장했다고 적고 있다(Sedgwick, 1992:x). 그리고 보다 잘 구축되어 있던 레즈비언/게이 모델로부터 그 에너지와 효율성을 발전시켜 가져온 새로운 구조물이라고 퀴어를 규정하면서도 마지막 문장에서 퀴어를 레즈비언/게이 연구의 종착지가 아니라 레즈비언/게이 연구의 원천으로 놓으면서 이것들이 전개되어 온 방식에 대한 설명을 다시 제시하고 있다. 세즈윅은 '이 영역에서 이후 수많은 작업이 급증했는데 이는 대단한 양성욕구와 추측에 근거한 관대함, 대담성, 침투성, 그리고 퀴어적 읽기 queer reading라는 복합적 역사 안에 오랫동안 머물고 있던 행동주의activism 와 훨씬 더 관계있다고 쓰고 있다(같은 글).

이 책은 퀴어를 절대적으로 진보적이거나 절대적으로 반동적인 것으로 재현하기보다 그것이 어떤 고정된 가치도 가지고 있지 않다고 주장하고 있다. 이 새로운 용어이자 개념적인 틀을 평가해보려는 지나치게 단순한 시도들은 19세기 후반 이래 동성애에 관한 지식이 항상 서로 맹렬히 경합하는 범주들에 의해 구조지어져 왔다는 사실을 간과한다(예로서 Chauncey, 1982). 이런 종류의 분류상 불확실함이라는 특성이 먼 미개한 역사의 순간에만 있었던 것도 아니다. 유사한 주장이 특히 게이/레즈비언 연구와 관련하여 보다 최근에도 제기되었다. '최근에 게이/레즈비언 연구가 지하세계의 현상에서 학문 담론이라는 흥분되는 영역으로 나오게 된 변화와 함께 '수상한 유행병이 생겨났는데 바로 규정definition이라는 병이다'라고 메릴린 파웰(Marilyn Farwell, 1992: 165)은 지적하고 있다. 이 책 『퀴어 이론 _Queer Theory_』은 퀴어를 역사적 맥락 안에 위치시키기 위해 지난 세기동안 발전해 온 동성애를 구성하는 담론들을 검토한다. 그리고 이 최신 용어를 옹호하거나 반대하는 당대의 주장들을 점검한다. 중요한 용어로서의 퀴어에 대한 어떤 최종적인 평가가 아니라 퀴어가 그것이 가진 급진적 잠재성에 걸맞게 산다면 – 그리고 그저 단순히 또 하나의 받아들일만한 (그 반대이기는 하지만) 범주로서 고착되지 않는다면 – 현재진행 중인 퀴어의 진화는 그 미래가 어떨지 예측할 수 없다는 것을 주지하고 있다. 즉, 퀴어의 미래는 – 결국은 – 미래인 것이다.

2. 동성애 욕망 이론화하기

Theorising Same-Sex Desire

정확히 무엇이 동성애인가?

동성애는 자신과 같은 성sex인 상대에게 성적으로 끌리는 상태를 묘사하는 것이라고 흔히 이해된다. 이 같은 규정에는 어떤 문제나 불확실한 것도 없어 보인다. 그럼에도 불구하고 이론적으로 정확히 무엇이 동성애를 구성하는 것인가— 혹은 보다 실용적으로 누가 동성애자인가— 를 결정하는 것은 결코 자명하지 않다. 동성애적이라고 그다지 큰 문제없이 설명될 수도 있을 남녀 인구집단이 있는 반면 여러 모호한 상황들은 동성애라는 설명 범주의 정확한 한계에 대해 의구심을 갖게 한다. 예를 들어, 아내와 자식들과 함께 살면서 때때로 다른 남자와 어쩌다 한 번 혹은 익명관계의 성행위를 하는 남자는 동성애자인가? 이런 상황에 있는 많은 남자들은 에이즈관련 연구를 목적으로 인터뷰를 했을 때 스스로를 동성애자로 규정하지 않았다. 한 응답자는 자신의 성 정체성sexual identity에 대해 '그건 나한테 중요하지 않다. 남자와 종종 섹스를 한다. 그 보다 중요한 것은 내가 여자와 결혼했고 내 인생을 사랑한다는 것이

다. … 내가 일과를 끝내고 뭘 하는지는 어느 누구도 상관할 일이 아니다
라고 말했다(Bartos 외 편저, 1993:27). 또 다른 응답자는 보다 분명하게
게이 정체성을 거부했다.

> 나 또한 진짜 게이는 아니다. 게이 성행위는 내가 일주일에 두세 번 정도
> 하는 것이다. 그건 내 삶에서 극히 적은 시간일 뿐이다. 내가 남자를 찾고
> 성행위를 한 모든 시간을 합친다고 해도 주에 한 두 시간 밖에 안 된다. 나머지
> 시간에 나는 이성애자이고 결혼했고 가정적인 남자다(같은 글:29).

자신을 레즈비언이라고 구분하면서 현재 남자와 성적인 관계에 있는
여자는 동성애자일까?(Califia, 1983 참조; Clausen, 1990) 게이남성이라고
스스로를 구분하는 상대와 현재 성적인 관계에 있는 여성을 어떤 성적
범주로 설명할 수 있을까?(Schramm-Evans, 1993) 성행위를 한 번도 해보
지 않았거나 할 의사가 전혀 없어도 동성애자일 수 있을까? 이런 질문들
을 문화적 변수들이나 역사적 변수들과 교차해 고려하게 되면 더 복잡해
진다. '동성애'가 철저하게 다른 맥락에서도 변함없이 쓰일 수 있는 용어
인가에 대한 질문을 제기하기 때문이다. 데이빗 핼퍼린David Halperin
(1990:46)은 이렇게 묻고 있다.

> 주기적으로 사춘기에 있는 남자를 대상으로 항문삽입성교를 즐겼던 고대 그
> 리스의 결혼한 성인인 '남색가paederast' 남성은, 아동기 때부터 여러 방면에
> 서 여성적인 특성을 취해 왔고 이후 공개적이고 사회적으로 승인된 예식을
> 통해 자신이 결혼하게 된 성인 남성에게 정기적으로 삽입성교의 대상이 되는

북미 선주민(인디언) 성인 남성인 '버다쉬berdache*'와 **동일한 섹슈얼리티**를 공유하는가? 후자인 버다쉬는 여덟 살 때부터 열다섯 살 때까지 자기보다 나이가 많은 아이들이 매일 자신의 입 안에 사정을 하는 일을 겪고 또 몇 년 동안 자신보다 나이가 어린 남자아이들의 입에 사정을 하고 난 후 성인 여성과 결혼하여 자식을 보는 뉴기니의 부족민이자 전사들인 이들과 **동일한 섹슈얼리티**를 공유하는가? 이 세 사람들 중 누가 근대의 동성애자들과 **동일한 섹슈얼리티**를 공유하는가?(원문 강조)

어느 정도는, 무엇이 동성애를 구성하는가에 대한 논쟁은 소위 본질 주의essentialist와 구성주의constructionist 사이의 협상이라는 측면에서 이해 할 수 있다. 본질주의자들은 정체성을 자연적이고 고정되어 있으며 생래 적이라고 간주하는 반면 구성주의자들은 정체성이란 유동적이며 사회 적 조건과 스스로를 이해하는데 필요한 활용가능한 문화적 모델들의 효과라고 추정한다. "본질주의자들은 한 개인의 성적 지향은 문화와 무 관하게 객관적이고 내재적인 속성이라고 보는 반면 사회적 구성주의자 들은 성적 지향이 문화에 좌지우지되며 상대적이고 어쩌면 객관적이지 않다고 생각한다"고 에드워드 스테인Edward Stein은 쓰고 있다(1992b:325). 본질주의자들은 동성애가 시간을 초월해 보편적 현상으로서 존재해 왔 고, 주변화되어 왔지만 지속적이고 일관된 그 자체의 역사를 가지고 있 다고 본다. 반면에 구성주의자들은 동성 간 성행위가 각기 다른 역사적 맥락 안에서 각기 다른 문화적 의미를 가지고 있기 때문에 시간과 공간

---

* '버다쉬'는 북미 선주민 문화에서 생물학적 성과는 다른 사회적 성을 수행하는 이들을 일컫 는 개념어로서 'two-spirit' 즉, 두 개의 서로 다른 혼을 가진 사람이라 불리기도 한다.

을 초월해 동일하지는 않다고 본다. 예를 들어, 구성주의자들은 어떤 남자가 '나는 게이가 아니다. 내가 게이라면 내가 섹스한 남자와 키스를 했을 것이다. 나는 한 번도 남자와 키스한 적이 없다(Bartos 외 편저, 1993:29)고 말할 때 그 남자가 거짓말을 하고 있다거나 스스로를 기만하고 있다고 여기지 않을 것이다. 그보다는 동일한 성적 행위들에 서로 다른 의미가 부여될 수도 있다고 볼 것이다. 게다가 구성주의자들은 '정체성'이란 입증해 보일 수 있는 경험적 범주가 아니라 구분을 위한 동일시 과정들을 통해 만들어진 생산물이라고 주장할 것이다. 본질주의와 구성주의는 대체로 서로 반대되는 범주라고 이해되지만 둘 사이에는 이보다 훨씬 복잡한 관계가 있다는 것을 기억할 필요가 있다. 둘 사이에는 우연한 일치들도 있고(Fuss, 1989:1-21) 이 입장들이 결정론determinism과 의지론voluntarism* 사이와 같은 이항대립적 관계인 것도 아니다(Stein, 1992).

종종 본질주의적으로 동성애를 이해하는 것은 반동적이 아니면 보수적인 결과를 낳고 반면에 구성주의적으로 이해하는 것은 진보적이거나 심지어 급진적인 전략이라고 간주된다. 그렇지만 정치적 개입의 성격이 반드시 각 입장이 갖고 있는 가정에 의해 결정되는 것은 아니라고 말하는 것이 더 정확하다. '어떤 사람들은 동성애자로 타고난다'는 본질주의적 주장은 동성애자들에게 시민권에 기반한 인정을 보장하기 위해 동성애혐오를 반대하는 데에 활용되어 왔다. 다른 한편, 동성애가 어쨌든 획득된 것이라는 구성주의적 관점은 동성애적 지향이 교정될 수 있고 교정되어야 한다고 보는 동성애혐오적 주장들과 나란히 존재해오기도

---

* 의지(意志)를 인간의 본질로 보는 설이라고 거칠게 이해할 수 있겠다.

했다. 이 두 입장들은 자주 동성애혐오 집단과 동성애혐오에 반대하는 집단에 의해 동시에 채택되기도 한다.

　최근에 논란거리가 된 예로서 퀸스랜드Queensland(역자: 호주의 한 주)에 위치한 국제 이성애자 재단International Heterosexual Foundation의 설립을 보자. 이 단체는 '이성애를 십대들의 유일한 라이프스타일로서 장려하기 위한 목적'으로 설립되었다(Gurvich, 1995:2). 재단의 필요성을 설명하면서 재단 대변인인 크리스 피커링Kris Pickering은 동성애에 대한 본질주의적 설명 모델과 구성주의적 설명 모델 모두에 의존하고 있다. 그는 '오직 소수의 동성애자들만이 유전자적 동성애자이고 대부분은 정신적 동성애자들인데 이들은 이성과 나쁜 경험을 한데다가 동성애를 장려하는 정보의 영향으로 그러한 라이프스타일을 선택한 이들'이라고 말했던 것이다(같은 글). 빅토리아(역자: 호주의 한 주) 에이즈 위원회Victorian AIDS Council는 이 재단이 이성애자들을 '진정한 사람'으로 묘사하는 것에 대해 격렬한 반대를 표명했다(같은 글). 그럼에도 이 위원회의 대변인인 에릭 타임웰Eric Timewell은 역시 본질주의자와 구성주의자 모두의 입장에서 이러한 반대 입장을 펴고 있다. 그는 "11세 이상이 되면 본인이 알든 모르든 사람의 성적 취향은 어느 정도 이미 결정되어 있다"(같은 글)고 말했던 것이다. 타임웰은 개인의 성적 발달이 구성주의와 본질주의의 순으로 설명될 수 있다고 보았던 반면 피커링은 두 방식의 설명이 전 인구에 동시에 대입될 수 있다고 이해하였다. "사람들은 자신이 동성애자가 되지 않도록 할 수 있다. 아주 극소수만 제외하면 말이다"(같은 글)라고 말했던 것이다. 이 사안에 대해 서로 반박하기 위해 두 사람 모두 본질주의자와 구성주의자의 조합을 자신의 입장을 펴기 위한 근거로 사용하고 있다.

동성애라는 발명품

최근 레즈비언/게이 연구에서 상당히 광범위하게 채택되고 있는 구성주의 입장은 자주 프랑스 역사가인 미셸 푸코Michel Foucault의 작업을 그 근원으로 삼는다. 1968년이라는 이른 시기에 이미 매리 맥킨토시Mary McIntosh가 "동성애자는 어떤 조건을 가지는 것이 아니라 하나의 사회적 역할을 맡아 하고 있는 것으로서 보아야 한다"(1992:29)고 제안했지만 말이다. 레즈비언/게이 연구라는 것이 상상조차 되기 힘들었던 때부터 그것에 엄청난 영향을 주었던 텍스트─『성의 역사History of Sexuality』 1권─에서 푸코는 근대 동성애 정체성 형성의 역사를 설득력 있게 서술하고 있다.[1]

구성주의자의 입장에서 푸코는 동성애는 불가피하게 근대적인 형성물인데 이는 그 이전에도 동성애적 성 행위가 있었지만 그에 응당한 식별 범주category of identification가 있었던 것이 아니기 때문이라고 주장한다. 동성애가 발명된 정확한 시기를 도발적으로 제시하며 푸코는 이렇게 쓰고 있다(1981:43).

우리는 동성애라고 하는 심리학적, 정신의학적, 의료적 범주가 성적 관계 sexual relations의 유형보다는 어떤 특징적인 성적 감수성sexual sensibility, 자신

안의 남성적인 것과 여성적인 것이 어떤 특정한 방식으로 뒤집히는 상태를 특징으로 한다고 말해진 바로 그 순간– 웨스트팔 Westphal이 1870년대에 쓴 유명한 글 '상반된 성적 감각contrary sexual sensations'이 나온 때가 탄생일이 될 수 있다 – 에서부터 구성되었다는 것을 잊지 말아야 한다.

푸코의 주장은 1870년 즈음에 다양한 의료 담론 안에서 동성애자로 식별 가능한 특정 유형의 사람에 대한 관념이 부상하기 시작했다는 주장을 전제로 한다. 이제 더 이상 단순히 특정한 형태의 성적 행동을 하는 누군가가 아닌 동성애자라는 특정한 존재가 근본적으로 바로 그 행동의 측면에서 정의되기 시작한 것이다. "19세기에 동성애자는 어떤 인물, 어떤 과거, 어떤 사례가 되었다 … 그 사람을 구성하는 어떤 부분도 그의 섹슈얼리티에 영향을 받지 않은 것이 없다"(같은 글). 푸코는 비록 동성애적 성행위가 1870년 이전 종교법과 민법 모두에서 비난을 받기는 했지만 동시에 누구든 시도해보고 싶어질 수 있는 일종의 유혹으로 간주되었다고 주장한다. 죄스럽고 불법적이었지만 금지된 그 행동들이 특정한 종류의 인간을 만드는 것으로 이해되지는 않았다. 1870년 이후 동성애적 성행위는 특별한 유형의 사람임을 말하는 증거로서 이해되기 시작했고 그런 유형의 사람에 대해 설명하는 서사들이 형성되기 시작했다. '항문성교자(혹은 남색자the sodomite)'는 일시적인 일탈행동을 한 사람이었지만 동성애자는 이제 하나의 종species'이 된 것이다(같은 글).
　'특정 종'으로서의 동성애자가 부상한 정확한 시기에 대한 푸코의 확신은 수사적으로 인상적이다. 그렇지만 근대 동성애자의 발흥을 야기한 역사적 정황에 대해서는 아무런 결정적 합의도 없다. 앨런 브레이Allan

Bray는 1982년에 출간한 책 『르네상스 시기 영국의 동성애*Homosexuality in Renaissance England*』에서 훨씬 이른 시기—17세기 말—를 매우 다른 이유를 들어 제시하고 있다. 푸코를 따라 브레이는 적어도 17세기 중반까지는 근대적 개념에서의 동성애에 상응하는 것은 없었다고 주장하고 있다. 브래이는 "이 시기에 어떤 개인이 '동성애자였다 아니다'를 말하는 것은 시대착오적이며 감당할 수 없는 오해를 낳을 소지가 있다'고 말한다. "방탕debauchery과 동성애가 분명하게 구분되지 않았으며, 이것에의 유혹 은 누구나 빠질 수 있는 것으로 받아들여졌고 결코 혐오스러운 것도 아니었다"는 것이다(Bray, 1988:16-17).

브래이는 대신 근대 동성애의 기원은 그 후 50년 뒤 17세기가 끝날 무렵에야 '템즈Thames 북부의 밀집지역 전체에 흩어져 있었던 몰리의 집molly houses *'을 중심으로 갑작스레 생겨나기 시작한 도시 동성애 하 위문화의 부상과 함께 알아볼 수 있게 되었다고 주장하고 있다(같은 글 84; Norton, 1992도 참조). 개인집이든 여인숙의 일부가 되었든 몰리의 집은 남자에게 성적 관심이 있는 남자들이 모이는 곳이었으나 꼭 성행위 를 목적으로 하는 곳은 아니었다. 비록 "그 뿌리에는 성행위라는 사안이 있었지만 … 실제로 사귀는 사이끼리 혹은 친구들끼리 함께 술을 마시면 서 적당히 희롱을 주고받거나 남 이야기를 하거나 하면서 성적인 관심을 표현하기도 하였던 것이다'(Bray, 1988:84). 다른 남자와 성행위를 할 수

---

* 남자들이 동성과의 성적 사교를 위해 찾던 곳. 지금의 게이바(gay bar)와 유사한 역할을 했 던 곳으로 이해할 수 있을 것이다. 'Molly'는 여자이름으로 주로 쓰이는 'Mary'의 애칭이기도 하고 소위 '여성스럽거나 약한 혹은 용기가 없는 남자 아이나 남자 어른'을 일컫는 속어이기 도 하다.

있는 장소가 이전에도 존재하기는 하였으나 몰리의 집처럼 일관된 체계를 가지고 있지는 않았다. 몰리의 집은 공동체 안의 또 다른 공동체였고 특별히 동성애적인 문화였다. 동성애는 공동체의 기반으로 이해되어갔다. 이를 토대로 — 비록 작고 비밀스럽지만 — 알아볼 수 있는 문화가 발달하기 시작했다. 그 문화는 '옷 입는 방식, 말하는 방식, 특정한 뜻으로 이해되는 독특한 몸짓과 행동, 은어'를 가지고 있었다(같은 글:86). 몰리의 집은 초기 동성애 하위문화를 만들면서 동성애 정체성과 동성애 공동체에 문화적인 맥락을 제공했다. (역자: 동성애 하위문화는) '그 문화를 만드는 개개인들로부터 독립적으로 존재했고' 주위의 다른 문화와도 구분되었다(같은 글). 브래이는 몰리의 집이 중요한 의미를 갖는데 그 까닭은 몰리의 집이 동성애를 성적 행동이나 성적 취향 이상의 것으로 만들었기 때문이라고 주장한다. 사실 몰리의 집은 동성애를 근대적 감성에서 하나의 정체성으로, 세상에 존재하는 방식으로 만들었던 것이다.

푸코와 마찬가지로 존 디밀리오John D'Emilio는 19세기 후기에야 근대 동성애의 부상에 중요한 맥락이 제공되었다고 주장한다. 푸코는 그 시기 섹슈얼리티가 점점 의료의 영역이 되어 갔던 것을 결정적 계기로 보는 반면 디밀리오(1992b:5)는 맑스주의 관점을 취하면서 동성애 정체성 형성에 필수적인 조건들을 생성했던 것은 '자본주의라는 역사적 전개였고 — 보다 구체적으로는 자유민의 임금노동free-labor 체제였다고 주장한다. 미국사회에서의 자본주의 발달 과정을 지형화하면서 디밀리오는 가족 혹은 가구가 생산과 소비의 측면에서 점점 자급자족할 수 없게 되어 온 과정들에 초점을 맞추었다. 가족은 기본적으로 자족적인 경제 체계가 더 이상 아니었고 대신 정서적 단위, 즉 '재화goods가 아니라 감정적인 만족과 행복을 제공하는 제도'로 간주되었다(같은 글). 제프리 웍스Jeffrey Weeks(1977:2)도 영국의 맥락에서 유사한 주장을 밝히고 있는데 '동성애와 동성애자의 의미가 새롭게 부상하게 된 것을 이해하는 최선의 방법은 그것을 '도시화와 산업자본주의의 성공에 따라 발생한 가족과 성적 관계들의 구조조정의 일부'로 보는 것이라고 주장하고 있다. 디밀리오(1992b:8)는 문화적으로 생식 이외의 측면에서 이성애에 의미를 부여할 수 있도록 만들었던 그 전환이 도시 동성애 공동체들의 부상에 필요한 조건들도 함께 만들어 냈다고 본다.

> 개인들이 상호의존적인 가족 단위의 부분이 되는 방식이 아니라 임노동을 통해 생계를 유지하기 시작했을 때에야 비로소 동성애적 욕망이 개인의 정체성으로 합쳐질 수 있었다. 이성애 가족을 벗어나 존속할 수 있는 능력과, 같은 성에게 느끼는 매력을 바탕으로 개인적인 삶을 구축할 수 있는 능력에 기반을 둔 정체성 말이다.

동성애의 발명에 대한 지금까지의 모든 설명들은 남성 동성애의 형성을 다루고 있다. 이는 부분적으로는 이 이론가들이 남성 사례에 초점을 맞추었기 때문이고 또 부분적으로는 여성 동성애의 형성이나 레즈비어니즘의 형성이 남성 동성애 형성과정과 같은 길을 걷지 않았기 때문이다. 여성 동성애는 법 담론이나 의료 담론에서 남성 동성애와 똑같은 역사적 위치를 점하지 않았다. 예를 들어, 국제적으로 영향력을 행사하는 영국 법체제 – 이는 영국의 식민지 점령기에 많은 다른 나라들에서 유일한 법 견본으로 채택되거나 강제되었다- 는 남성 동성애 행위를 범죄화했지만 여성 동성애의 가능성은 무시했다. 1885년 Labouchère 개정법*은 상당히 최근에도 서구 사회의 반동성애법제도의 토대가 되고 있는데 이 법은 특별히 '남자 개인들male persons' 사이의 '성추행gross indecency'을 금하며 여자 개인들 사이에서 일어나는 상응행위는 손대지 않은 채 남겨 두었다. 마찬가지로- 그리고 부분적으로는 범죄화와 관련하여 그 관계가 달랐기 때문에- 여자들의 동성애는 남자들의 동성애보다 공동의 하위문화 정체성의 토대를 만드는 데에 훨씬 오랜 시간이 걸렸다.

근대 레즈비언 정체성 발달에 대한 가장 상세하고 영향력 있는 설명을 제시하고 있는 것이 릴리안 패더만Lillian Faderman의 책『남자의 사랑을 뛰어넘는Surpassing the Love of Men』(1985)이다. 패더만은 서구 문화 도처에 여자들 사이의 성적이거나 열정적인 애정관계가 있었다는 것을 드러내기 위해 16세기부터 20세기까지의 역사 문헌과 문학 문헌들을 다양하게 검토하고 있다. 패더만은 20세기 이전에는 여자들 사이의 낭만적 우정이 - 성적이었을 수도 있고 아니었을 수도 있는데- 사회적으로 승인받았다고 주장하고 있다. 여자들 사이의 열정적이고 관능적인 애정에 대한 고백도 서로에 대한 영원한 헌신에 대한 서약도 병리화된 적이 없었다는 것이다. "[낭만적 관계의 친구들이] 이러한 열정에 대한 다른 사람들의 시선을 의식했다거나 혹은 그런 감정을 어떤 식으로든 비정상적이라고 보았다고 할 만한 것은 전혀 없다"고 말이다(Faderman, 1985:125). 심지어

---

* 형법 11조항이라고도 불린다. 이 법에 따라 오스카 와일드(Oscar Wilde)가 1885년에 중노동과 함께 2년형을 선고받기도 하였다. 1967년 성 범죄법이 시행되면서 영국에서 동성애는 비범죄화되었다.

동성애 욕망 이론화하기

여자들 사이의 성적 행동을 경멸하듯 써놓은 것에서도 "레즈비어니즘 lesbianism 자체가 공격의 초점이 된 적은 거의 없었다." '여성답지 않은 방식'으로 행동하는 여자들을 징계하기 위해 '기본적으로는 일종의 은유로서 [레즈비언들]의 적극적인 섹슈얼리티가 쓰였을 뿐'이었던 것이다(같은 글:45-6).

여러 번을 거듭해, 패더만은 여자들 사이의 낭만적 우정에 대해 어떤 사회적 비난도 없었던 것에 대해 놀랐다고 말하고 있다. 여자들 사이의 낭만적 우정과 레즈비어니즘은 같은 것을 시기적으로 다르게 부르는 것에 불과하다고 보면서 패더만은 다음과 같이 묻고 있다. '만약 이러한 낭만적 우정이 감정의 질과 강렬함에 있어서 레즈비언의 사랑과 다르지 않다면 왜 그 시기에는 그토록 쉽사리 묵인되었고 오늘날에는 박해를 받는 것인가?'하고 말이다(같은 글:19). 이러한 태도 변화를 만든 것이 무엇인가에 대해 패더만은 제1물결 페미니즘의 요구에 대한 반동적 반응과- 보다 더 단호하게는- 성과학자들의 여성 동성애병리화 경향이 점점 심해진 때문이라고 믿고 있다.

> 여성들 사이의 사랑은 기괴한 것으로 변형되었고 비정상적인 여자들만이 남자에 대한 자신의 종속적 지위를 변화시키고 싶어 할 것이라고 주장되었다. 성과학자들의 이론은 둘(역자: 레즈비어니즘과 페미니즘) 모두 비정상적이고 이 둘은 서로 연관되어 있다고 증명하려 노력하면서 여성들을 페미니즘으로부터 그리고 다른 여성을 사랑하는 것으로부터 떼어놓으려고 이들을 겁주었거나 혹은 겁주려 시도하였다.(같은 글:240)

레즈비언 정체성 형성에 기여한 조건들에 마음을 사로잡혔음에도 불구하고 패더만의 책은 결단코 푸코주의적이지 않으려 하는데 특히 이 책의 논조가 푸코주의적으로 보임에도 불구하고 그 결론을 푸코주의적으로 내리지 않으려 하고 있다. 『남자의 사랑을 뛰어넘는』은 세기말적 낭만적 우정이 의료영역 안으로 점점 포섭되게 된 것이 레즈비언 정체성의 가치가 떨어지게 된 이유라고 보는 것이지 그것을 근대적 정체성으로서 형성되는 순간이라고 보지는 않는다. 그럼에도 성과학, 문학, 대중잡지 등에서 재현되고 있는 20세기 레즈비언 정체성의 형성과 확산에 관한 패더만의 광범위한 연구는 이미 존재하고 있던 정체성 모델의 병리화가 아니라 오히려 새로운 - 그러나 악마화된 - 성적 범주가 접합 articulation되었음을 보여주려 한 것으로 볼 수 있다.

보다 최근에는 발레리 트룹Valerie Traub이 근대 레즈비언 정체성 발달을 가능하게 했던 역사적 정황에 대해 구성주의적 설명을 제시했었다. 1800년대에 있었던 여자-여자 사이에 관한 에로틱 담론을 분석하면서 트룹은 유럽 식민주의 인류학과 기행문 그리고 해부학 문헌이 집요하게 음핵 clitoris을 교차위(交差位 혹은 트리바디즘tribadism)* - '레즈비어니즘에 상응하는 근대 초기 용어' - 와 연관시키고 있고 '이 연관성은 그 이후 근대 담론에서 사라진 적이 없다고 주장한다(Traub, 1995:82, 94). 패더만의 본질주의적 주장을 피해가면서 트룹은 교차위와 레즈비어니즘을 서

---

* 트리바디즘은 여자들이 서로 자신의 외음부(특히, 음핵)와 상대의 외음부(역시 특히, 음핵)를 교차해 문지르는 방식으로 접촉시킴으로써 성적 쾌감을 발생시키는 성행위라고 할 수 있다. 그러나 반드시 외음부와 외음부의 접촉에만 한정하는 말이 아니라 때로 외음부와 상대방의 다른 신체 부위(예, 허벅지, 팔, 배, 엉덩이 등)와의 접촉을 포함하기도 한다.

로 뒤섞고 있지도 않으며 그렇다고 자신의 작업이 '전 계몽시기 '레즈비언' 정체성'의 위치를 찾아내는 것이라고 생각하고 있지도 않다(같은 글:85). 그렇지만 트룹은 "'레즈비언'의 부재나 비가시성에 대한 가정에도 불구하고 서구 사회 작가들은 여성들 사이의 에로틱한 욕망과 에로틱한 신체적 접촉을 묘사하는 용어를 주변에서 듣고 알 수 있었다'고 주장하고 있다(같은 글:88). 트룹이 근대 초기 여성들 간의 에로틱한 욕망을 구체적으로 언급하려 했던 목적은 공공연히 알만한 레즈비언 정체성에 실체를 부여하려는 것이 아니라 '그런 정체성이 부상할 수 있기 **위한** 조건들을 보여주려'는 것이었다(같은 글:85).

비록 근대 동성애 형성에 관한 이론들은 각각 상이하지만 동성애가, 오늘날 이해되고 있는 것처럼, 초역사적인 현상은 아니라는 점에는 중요한 합의를 보이고 있다. 패더만은 예외지만 지금까지 언급했던 모든 이론가들은 동성애 **행위**behaviour – 언제어디서나 있다– 와 동성애 **정체성** identity – 특정한 역사적 조건 하에서 진화한 것이다– 사이를 결정적으로 중요하게 구분한다. 제프리 윅스(Weeks, 1972:2)가 말하고 있는 것처럼 말이다.

동성애는 모든 유형의 사회에서, 모든 사회적 계급과 사람들 사이에서, 역사를 아우르며 존재해 왔고 자격부정, 무관심 그리고 혹독한 괴롭힘에도 살아남았다. 그러나 엄청나게 달라진 것은 다양한 사회들이 동성애를 봐왔던 방식들, 동성애에 부여해 왔던 의미들, 그리고 동성애 행위에 관여한 이들이 스스로를 어떻게 보는가 하는 것이다.

핼퍼린(Halperin, 1990:46)은 "비록 많은 사회들에 동성 상대와 성적 접촉을 하고 싶어하는 사람들이 있지만 최근에 와서야 그리고 우리 사회의 특정 분야에서나 그 사람들은- 혹은 그들 중 일부가- 동성애자다"라고 말하면서 같은 논지에서 그 문화적 의미를 짚어 내고 있다.

동성애와 이성애

동성애 형성으로 이어진 역사적 과정들만을 전면화하는 것은 이성애는- 자주 언급되지 않지만 결코 역사적 임의성을 갖지 않는다 할 수 없는데도- 마치 (역자: 동성애와 달리) 자명하거나 자연적이거나 또는 안정된 구성물이라고 함의하는 것이다. 이런 가정은 동성애를 흔히 이성애로부터 파생된 것으로 보거나 이성애보다 덜 진화된 것으로 보는 문화에서 자연스러운 것이 된다. 이와 같은 것은 대중심리학- 동성애는 이성애자로 성숙해 가기 위해 사춘기 시기 거치게 되는 단계라는 관점을 강화하는 설명을 제공한다 - 에서부터 종교와 법에서 규정하는 '가족' 개념 - 이 개념에 의해 동성애 가족은 비합법적 가족 또는 진정한 가족이 아닌 것으로 선언된다- 에 이르기까지 수많은 다양한 담론들에서 그 목소리를 듣게 된다. 이성애가 여기서 충분히 검토될 수는 없지만 많은 이론가들은 최근의 동성애 개념과 동성애의 역사적 발달에 대한 설명이 이성애를 자연스러운 것으로 이해하거나 상식적인 것으로 이해하는 데에 중요한 함의를 갖는다고 주장하고 있다. 예를 들어, 많은 이론가들은 '이성애'라는 용어가 '동성애'와 등을 맞대고 형성된 것이므로-

전자는 후자가 통용된 후에야 비로소 통용되었으므로 — 이성애는 동성애에서 파생되었고 그와 같은 계보는 중요한 이데올로기적 결과를 갖는다고 주장한다(Katz, 1983:147-50). 이성애는 흔히 평범한 것으로 재현이 되지만 '19세기 하반기 '동성애자'의 부상이 갖는 특징은 이 시기 동성애자는 그것의 '정상normal' 쌍둥이인 '이성애자'로부터 떼어낼 수 없는 것이 되었고 말 그대로 이성애자 없이는 이해하는 것도 어렵게 되었다는 사실'이 중요하다(Cohen, 1993:211).[2]

그렇다면 이성애도 그 의미가 문화의 변화에 달려있는 일종의 구성물이기는 매한가지다. 이성애는 보편적이라는 주장이 아무리 제기된다 할지라도 일종의 설명어로서의 이성애의 기원은 역사적인 것이다. '동성애'를 식별되는 어떤 상태나 지향을 설명하는 자명한 용어가 아니라 역사적으로나 문화적으로 발생한 범주로 생각하기란 어렵다. '이성애'를 이런 식으로 생각하기란 더욱 더 어려운데 이성애가 그만큼 자연스러운 것이 되었기 때문이다. 이성애는 결국 자연스럽고 순수하고 문제없는 상태라는 주장이 오랫동안 지속되어 왔고 이에 대한 설명도 요구되지 않는다. 사실상 지금까지 동성애를 '설명하려는' 많은 시도들이 개념적으로 이성애에 근거해 왔기 때문에 이성애는 그 자체로 중립적이거나 표식되지 않은 섹슈얼리티 형태라고 보는 관념이 있다. 동성 욕망을 '도착inversion'으로 보았던 19세기 말에 대한 설명에서 크리스토퍼 크래프트Christopher Craft(1989:223)는 "이성애적 규범의 해체가 불가능하거나 해체할 의지가 없었기 때문에 성적 도착에 대한 영국식 설명은 사실상 그 규범을 되풀이한다. 욕망은, 드러난 것들과는 별개로, 본질적으로 그리고 최종적으로 이성애적인 것으로 남는다"고 주장하였다.

20세기 후반에는 이성애와, 정도는 덜하지만, 동성애 모두 완전히 자연스러워졌다. 이것은 둘 중 어느 범주도 역사를 가지고 있는, 임의적인 혹은 우연발생적인 것이라고 보기 어렵게 만든다. 섹슈얼리티와 같은 것을 자연적이지 않은 것으로 만드는 것은 특히 어렵다. 섹슈얼리티는 자연스러운 것이라는 주장이 개인의 자아감각과 우리 각자가 스스로의 섹슈얼리티가 주요하고 기본적이며 사적이라고 상상하는 방식에 직접적이고도 가깝게 연결되어 있기 때문이다. 핼퍼린(Halperin, 1990:53)은 그와 같은 '곤란한 점'을 지적하고 있는데 섹슈얼리티를 문화적 구성물이라고 주장하면서 다음과 같이 말하고 있다.

(이성애와 동성애는) 단순히 사유 범주들이 아니다 … 그것들은 똑같이 에로틱한 반응에 대한 범주들이고 따라서 에로틱한 반응이 지적 신념보다 강하다는 나의 소신에 직결될 만하다. 그것은, 결국에는, 성적 체계sexual system, 즉, '본성nature'이라는 내면의 진실에 대해 스스로 확신을 갖게 되는 체계의 관습에 동화되는 것을 말한다. 누군가 이러한 동화되기에서 쉽게 벗어날 수 있다면 처음부터 그것은 동화되기가 아니었을 것이다.

동성애든 이성애든 그것을 탈자연화하는 것은 그 범주의 의미를 최소화시키는 것이 아니라, 그것들이 자연적인 것으로 설명가능한 것으로 가정되기 보다는 맥락화되고 역사화되기를 요구하는 것이다.

'근대적 의미에서의 동성애'라는 문구나 '오늘날 이해되고 있는 동성애'라는 문구는 성적 행동에서 성적 정체성으로의 인식 전환과 현재와

먼 과거의 동성 간 성행위 사이에 연속성이 있다는 가정에 내재한 문제들에 효과적으로 관심을 모았다. 그렇지만 불행히도 그와 같은 문구들은 근대의 동성애가, 예전의 것과 달리, 일관되고 확실하며 실증된 것임을 은연중에 의미하는 것이기도 하다. 문화적으로 많은 것들이 동성애가 개념적으로 문제없는 것으로 재현되는 데에, 그리고 이성애와 동성애가 철저하고도 분명하게 서로 다른 것으로 유지되는 데에 활용된다. 그럼에도 여전히 성적 구분 범주들에 대한 근대적 지식은 일관성과는 거리가 멀다. 세즈윅은 혼란스럽고 불안정했던 예전의 동성애 관련 지식에 비해 고정되고 확실한 것이라 여겨지는 현재의 동성애 관련 지식에 관하여 말하기 위해 이러한 경향에 주의를 환기시키고 있다. 세즈윅은 동성 욕망의 역사적 형태들에 대한 푸코주의적 관점에서의 레즈비언과 게이의 성장 속에서 최근의 동성애 형성에 대해 거리를 두고 철저히 검토하지 않으려는 경향이 생겨났다고 주장한다. 세즈윅이 보기에 "'우리가 오늘날 알고 있는 동성애'라는 표현은 많은 역사가들이 과거를 탈자연화 하는 작업에 수사적으로 필요한 뒷받침이 되어준다"(Sedgwick, 1990:45).

세즈윅은 현재의 동성애를 어쨌든 자명하고 문제적이지 않은 것으로 재현하는 이러한 경향을 논평하면서 동성애를 이해하는 현재의 방식이 갖고 있는 논리적인 모순에 주의를 환기시키고 있다. 인지되지 않고 있는 이런 비일관성들은 서로를 무효화시키기는커녕 종종 동시에 나타난다. 『벽장의 인식론Epistemology of the Closet』에서 세즈윅의 목표는 근대 동성애에 대해 설명하는 서로 충돌하는 개념적 모델들을 구체적으로 명시하는 - 해결코자 한 것은 아니었지만- 것이었다. 세즈윅은 그 모순들을 다음과 같이 설명하고 있다.

> 첫 번째는 동성애/이성애 규정의 문제를 한편에서는 기본적으로 뚜렷이 구분
> 되며 비교적 고정되어 있는 적은 수의 동성애자 소수집단에게 당장 중요한
> 사안으로 보는 것(이를 소수화 관점이라 할 수 있다)과 다른 한편에서는 다양
> 한 섹슈얼리티들을 아우르며 사람들의 삶에서 지속적으로 영향력을 미치는
> 중요 사안으로 보는 것(이를 보편화 관점이라 할 수 있다) 사이의 충돌이다.
> 두 번째는 동성 대상 선택의 문제를 한편에서는 성차들 genders 간의 접계성
> 接界性, liminality*이나 이행성 移行性, transitivity의 문제로 보는 것과 다른 한편
> 에서는 분리 separatism 충동― 정치적 분리주의를 뜻할 필요는 없지만― 이 반
> 영된 것으로 보는 것 사이의 충돌이다.(같은 글:1-2)

세즈윅은 '동성애/이성애 규정이라는 오늘날의 고질적인 근대적 위기'
가 이러한 해소불가한 두 가지 모순의 결과이고 또한― 동성애혐오적
시각에서건 반동성애혐오적 시각에서건 상관없이― 20세기 동성애와 이
성애를 이해하는 방식을 주조하고 있음을 보여주고 있다. 첫 번째 모순
― 소수화 관점과 보편화 관점 사이의 모순― 은 '동성애적'이라고 지명
되는 집단의 범위가 어떻게 정해지는지, 동성애가 전체 인구집단 중에서
적은 수의 뚜렷이 구분되는 일부의 정체성인지 아니면 표면상으로는
이성애적인 사람들의 정체성도 똑같이 동성 욕망으로 규정될 수 있는지
를 중심에 둔다. 두 번째 모순은 동성애적 욕망을 성차의 관점에서 다루

---

* liminality는 '문지방'이라는 뜻의 라틴어 *limen*에서 유래되었다고 하며 이것이라고도 저것이라
고도 할 수 없고 동시에 이것이기도 하고 (또는 이것이 될 수도 있고) 또 저것이기도 한 (저
것이 될 수도 있는) 모호한 경계 상태를 의미한다고 하겠다.

35
동성애 욕망 이론화하기

는 이행transitivity 모델과 분리separatism 모델 사이에 있다. 전자는 동성 욕망이 동성애자가 점하는 성차들 genders 사이의 접계liminal 위치 혹은 경계borderline 위치에서 비롯된다고 특징짓는다. 후자는 동성애를 성차 자체의 전형이라 여긴다. 세즈윅(같은 글:83-90)은 이 두 가지 근본적인 모순들은 동시에 나란히 존재하며 이로써 근대적 동성애가 갖는 근본적 인 부조리를 확인시켜 주고 있다고 주장한다.

어떤 면에서, 에이즈가 불러온 위기-병리역학, 정부, 운동 측면에서 의 위기-는 근대적 섹슈얼리티들을 이해하는 방식을 만드는 담론적 부조리를 잘 보여주고 있다. 동성애를 보편화하거나 소수화하는 방식은 에이즈에 관한 정부와 의료진의 관리방식을 둘러싼 싸움에서 볼 수 있 다. '게이 병gay disease'으로 처음에- 그리고 끈질기게- 오해받았던 에이 즈는 소위 '일반 인구'라고 냉담하게 불리어 왔던 이들에게도 영향을 미치는 것으로 인식되면서야 비로소 그전까지 무관심했던 북미 정부 기관들의 관심을 끌게 되었다.[3]

활동가들은 에이즈와 동성애가 동의어로 다뤄지는 것에 분노했고 그 처럼 환유적 방식으로 호도하는 것이 에이즈에 대한 효과적인 개입에도 방해될 것이라 우려했다. 활동가들은 HIV 전염 회로가 소수의 소위 '위 험군'이라는 집단-기본적으로는 게이 남성들과 그 외에 정맥주사 마약 사용자, 매춘인들 등- 에 대해서가 아니라 안전하지 않은 성행위와 주사 바늘공용과 같은 보편적인 '위험 행위'의 측면에서 재고되어야 한다고 촉구했다.

동성애 정체성 개념과 동성 간 성행위라는 개념을 구분하는 것이 갖는 중요성은 최근 보건정책보고서가 잘 보여주고 있는데 이 보고서는 남성과 성행위를 하지만 스스로를 게이라고 구분하지는 않는 남성들을 대상으로 안전한 성행위에 대한 정보를 제공하는 것이 어렵고 또한 긴급하게 필요하다는 점을 강조하고 있다. 게리 도셋Gary Dowsett(1991:6-7)은 다음과 같이 말하고 있다.

> MSM[남성과 성관계를 하지만 동성애 남성 공동체에 소속되어 있지는 않은 남성들]은 **대상 집단**이 아니다. 그들은 게이 남성들과 달리 인구학적 설명으로 묶이지 않는다. … 그들은 고위험군 집단으로 여겨질 수는 있지만 어떤 식으로도 집단으로 묶는 것이 **불가능**하다. … 그들이 지닌 유일한 공통점—동성과의 성행위 경험—은 공유조차 되지 않는다. 그들에게는 게이 남성들의 경우처럼 소속감을 향유할 섹슈얼리티 문화 같은 것도 없다.(원문 강조)

도셋이 설명하고 있는 현상을 인정하면서 에이즈 교육 프로그램은 이제 대개는 정체성보다는 행위에 중심을 두고 있다. 에이즈교육 전략이라는 이런 간단한 예조차도 전근대적 섹슈얼리티와 근대적 섹슈얼리티를 구분해 준다고 널리 이해되고 있는 인식체계 전환에 한계가 있음을 보여준다.[4] 에이즈와 동성애를 흔히 한데 묶는 것에 반대하면서 에이즈 담론의 장을 정체성보다 행위에 강조점을 두어 재편하려는 시도들은 푸코와 많은 추종자들에게 근대의 시작을 알려 주었던 새로운 체제보다 고대인들의 법과 훨씬 더 일치한다.

  동성애적 욕망에 대한 분리주의 관점과 이행적 관점은 에이즈에 관한 일반적 지식에서도 역시 두드러진다. 역사적으로, 이 전염병의 정황에

37
동성애 욕망 이론화하기

따른 발달은— 어떤 다른 공동체들 중에서도— 게이 남성 공동체들을 에이즈로 휩쓸었다. 한편 레즈비언과 에이즈를 고집스럽게 연결시키는 경우도 있었다. 심지어 HIV가 어떻게 여성들 사이에서 성적으로 전염되는 것인지, 전염되기나 하는 것인지 그에 대한 정확한 정보가 전무함에도 (O'Sullivan and Parmar, 1989) 동성애에 대한 이행적 관점에서는 계속해서 레즈비어니즘을 에이즈와 연관시키고 있다. 이렇게 한데 묶어버림으로써 미국 레즈비언 오토바이 클럽American lesbian motorcycle club 회원들은 혈액은행에 헌혈을 할 수 없게 되었을 뿐만 아니라(이들의 혈액이 헌혈에 부적합하다는 이유였다) 정치가들은 '게이, 레즈비언, 매춘인들[이] 에이즈의 근원'이라 지명하기도 했다(Castle, 1993:12).

에이즈 담론은 동성애 규정에서 빚어진 오래된 부조리를 현재적 사례를 통해 보여주고 있다. 세즈윅의 논지에서 볼 때 문제는 무엇이 진정으로 동성애나 이성애 '이다'라고 결정하는가가 아니라 동성애에 대한 근대적 지식이— (광범위한 전략적 목적을 위해) 동성애의 정의를 수정하려는 다양한 시도들에도 불구하고— 해소불가능한 부조리와 불연속성의 영향 하에서 만들어진다는 점을 이해하는 것이다.

동성애에 관한 각기 다른 이해가 초기 동성애 운동, 게이 해방운동, 레즈비언 페미니즘 그리고 퀴어 이론에서 동원되고 있는 것은 분명하다. 각기 다른 역사적 정황과 상당히 이질적인 지식 모델은 지난 마지막 세기 즈음에 동성애 욕망과 관련하여 발달한 잇따른 이론적 모델들과 정치적 전략들의 관계가 한 번도 깨지지 않은 채 이어진 적이 없음을 가리킨다. 때로 덜 분명해 보이는 것은 서로 다른 이 운동들 사이에 생산적으로 구축될 수 있는 특정한 연속 관계들인데, 각각의 운동은 흔히 자신이 계승하고 있는 운동이 설정했던 것들을 철저히 반대한다고 자신의 운동을 설명했다. 이어지는 네 장들은 각각 퀴어가 논쟁적이고도 중요한 비판 용어로서 부상하게 된 특정한 문화적 맥락들을 드러내기 위해서 동성애 옹호운동, 게이 해방운동, 레즈비언 페미니즘, 그리고 일종의 소수민족문화로서의 게이 정체성에 대해 순서대로 간략히 논의하고 있다.

3. 동성애 옹호운동

The Homophile Movement

　게이 해방운동과 레즈비언 페미니스트 운동처럼 모호한 것의 역사적 기원을 구체적으로 명시하기란 어렵다. 다음에서 볼 초기 동성애 옹호 단체들에 관한 설명은 각 단체가 만들어지게 된 큰 맥락들을 검토하고 있다. 게이 해방이라는 수사는 흔히 동성애 옹호운동과 해방운동 사이를 구분하는 분명한 단절선으로 대표된다. 그럼에도 동성애 옹호운동을 자세히 들여다보면 게이 해방운동과 레즈비언 페미니스트 운동의 역사를 보다 더 미묘한 부분까지 이해할 수 있게 될 뿐만 아니라 이들 운동들이 공통되게 발전시켰던 정치적 입장들에 대해서(D'Emilio, 1983) 그리고 각 운동이 점점 서로 다른 것을 우선시함으로써 불가피하게 각자 독립적으로 발전하게 된 것에 대해 역사적으로 더 자세히 이해할 수 있게 된다.

　동성애 옹호운동은 게이 해방운동과 레즈비언 페미니즘과 같은 대중운동이 되지는 않았지만 동성애 옹호단체들은 교육프로그램을 개설했고 동성애에 대한 관용을 증대시킬 수 있는 정치적 개혁을 위해 일했으며 어떤 경우에는, 동성애를 비범죄화할 수 있는 정치적 개혁을 지향하며 활동하기도 하였다. 19세기 말 처음 유럽에서— 특히 독일에서— 시작된 동성애 옹호단체들은 동성애가 자연스럽고 인간적인 현상으로 인정받을 수 있도록 싸웠다(Lauritsen and Thorstad, 1974). 동성애가 하나의 정체성으로서 정리되어 역사적으로 처음 동성애자로 **존재**하는 것이 가능해졌던 시기와 같은 시기에 동성애 옹호운동이 시작된 것은 우연이 아니다. 수세기동안 동성애적 행위는 종교적 비난과 법적 처벌의 대상이 되어왔기 때문에 그와 같은 제도화된 편견에 맞서는 조직된 저항은 크게는 '동성애'라는 신생 식별 범주의 결과물이었다.

1869년, 독일 입법자들이 남성 간 성행위를 범죄화하는 새로운 형법을 고려하고 있을 때 카롤리 마리아 벤케르트Karoly Maria Benkert는 법무부 장관에게 새로운 형법에 반대하는 공개서한을 써 보냈다. 벤케르트의 주장은 이후에 있을 동성애 옹호적 개입을 예상하게 하였고 이러한 개입을 통해 다루게 될 의제를 부분적으로 설정하는 것이었는데 이 순간은 또한 '1969년은 재탄생의 날, 기념일이 된다— 사실 어떤 이는 게이 해방운동 100주년 기념일이라 할지도 모른다'(Lauritsen and Thorstad, 1974:5)라는 초역사적인 주장을 촉발했다. 벤케르트는 동성애는 선천적이기 때문에 자연법의 대상이 될 수는 있을지언정 형법의 대상이 될 수 없다고 주장했다. 벤케르트는 동성애는 누구에게도 해를 끼치거나 권리를 침해하지 않는다고 보았다. '동성애자들이 사회와 문화에 중요한 기여를 해

왔음을 입증해 보이기 위해 벤케르트는 각기 다른 역사적 시기의 유명인들 — 나폴레옹, 프레드릭 대왕, 미켈란젤로, 셰익스피어, 바이런을 열거했다.

1897년, 마그너스 허쉬펠드Magnus Hirschfeld라는 독일 신경학자는 <과학적 인도주의위원회 Scientific Humanitarian Committee>를 설립했다. 위원회의 근본 목표는 벤케르트가 공개서한에서 반대했지만 1871년에 제정이 되어버린 형법 175조 문항을 폐지하도록 입법기관을 설득하는 것이었다. 벤케르트처럼 허쉬펠드도 동성애의 선천성을 강조했다. 칼 울리히 Karl Ulrich의 모델을 발전시켜 허쉬펠드는 동성애가 중간적 상황으로서 생리학적 측면에서의 남성성masculinity과 여성성 femininity 양면을 결합한 '제3의 성 third sex'이라고 이해했다. 과학적 인도주의위원회는 동성애의 무해성과 동성애를 범죄화함으로써 겪게 되는 불필요한 고통을 강조했다. 또 하나의 중요한 동성애 옹호단체는 베네딕트 프레드랜더 Benedict Friedländer가 <과학적 인도주의위원회>가 설립된 지 5년 후에 설립한 <특별한 이들의 공동체 the Community of the Special>였다. 이 단체도 허쉬펠드의 탄원운동을 지원했지만 동성애가 생물학적 기질로 재현되는 것에 대해서는 점점 반대의 입장을 취해갔다. 프레드랜더는 허쉬펠드의 보수적 입장이 '치욕스러운 구걸 같이 … 동정에 호소하는' 것이라고 비판했고 '남성의 몸에서 쇠약해져 가고 있는 가련한 여성스러운 영혼, 제3의 성'이라는 식의 이행주의적 관념을 드러내놓고 경멸했다(Lauritsen and Thorstad, 1974:50 재인용).

1914년 <영국 성심리연구회British Society for the Study of Sex Psychology>가

성과학자인 헤블록 엘리스Havelock Ellis와 에드워드 카펜터Edward Carpenter에 의해 설립되었다. <영국 성심리연구회>는 독일 동성애 옹호단체들과 어느 정도 연결되어 있었는데 그 예로, '제3의 성'에 대한 <과학적 인본주의위원회>의 소책자를 재출판하기도 하였다. 그럼에도 영국에서는 독일에서처럼 법에 초점을 두지는 않았다. 이들은 "우리는 영국에서 이와 유사한 요구를 할 수 있는 시기가 이미 도래했다고 생각하지 않는다"고 천명했다(같은 글:34 재인용). 엘리스와 카펜터는 이에 따라 법제 관련 프로그램보다는 교육프로그램에 집중적으로 힘을 쏟았는데 도서관을 설립하고 이에 관심을 가지고 있는 미국 내 사람들을 접촉해 갔다.[5]

<시카고 인권협회Chicago Society for Human Rights>의 1924년판 선언문은 미국 내 동성애 옹호단체에 관해 기록된 것들 중에서 가장 초기 기록물인데, 단체의 취지를 선언하면서 유사하게 보수적인 경향을 보여주고 있다.

> (역자: 본 협회의 취지는) 정신적인 그리고 심리적인 비정상성을 이유로 독립선언문에서 보장하고 있는 합법적인 행복추구권을 침해당하거나 방해받고 있는 이들의 이익을 증진하고 보호하며 분별 있는 나이의 지성인들에게 근대 과학에 따른 사실들을 배포함으로써 이들에 대한 공공의 편견에 맞서 싸우기 위함이다. 본 협회는 오로지 법과 질서를 준수하며 다른 이들의 권리를 보호하는 어떤 특정한 혹은 일반적인 법과도 조화를 이룰 것이며 결코 어떤 경우에도 현행법을 어기는 행동을 장려하거나 공공복리에 해가 되는 사안을 옹호하지 않는다(Katz,1976:385).

동성애자들이 '정신적 그리고 심리적 비정상성'을 가지고 있다고 인정하면서, 독립선언문을 들먹이면서, '어떤 특정한 혹은 일반적인 법'도 지지하면서, 그리고 '근대 과학'이라는 형식의 이성에 호소하면서, <시카고 인권협회>는 각각 1951년과 1955년에 설립된 <매타천 협회Mattachine Society>나 <빌리티스의 딸들Daughters of Bilitis>과 같은 이후의 동성애 옹호단체들에 본보기가 되어 주었다(D'Emilio, 1983).

초기에 <매타천 협회>는 거의 비밀단체였다. 서로를 알 필요가 없는 다수의 세포 조직들로 마치 공산당처럼 느슨한 구조로 짜였으며 설립자들 중 몇 명만이 활동적이었다. 계급억압에 대한 맑스주의적 분석을 따랐던 초기의 토론문건들은 동성애자들을 '지배문화 안에 구속되어 있는 사회적 소수자로서의 자신의 위치를 깨닫지 못하고 있는 인구집단'으로 이론화하였다(같은 글:65 재인용). <매타천 협회>의 정치적 과업은 자신들을 지속적으로 주변화시키는 제도적이고 헤게모니적인 개입이 있음을 인식함으로써 자신들에게 가해지는 억압에 맞서 싸울 수 있는 동성애자의 집단적 정체성을 키우는 것이었다. 주로 입소문을 통해 설립자들은 동성애와 미국 사회에서 동성애의 위치, 그리고 동성애의 원인에 대해 이야기하길 원하는 남자들과 여자들을 조직했다. 개인적인 경험에 대해 이야기를 나누기도 하였다. 토론조직에 참여했던 한 참석자는 "뭐든 털어놓을 수 있는 자유 … 정말, 바로 그것이었다. 우리는 긴장과 불신의 분위기 속에서 소속감과 동지애, 솔직함과 같은 감성을 찾아냈다"고 회상하였다(같은 글:68 재인용).

점차적으로 <매타천 협회>는 로스앤젤레스 기반을 넘어 다른 캘리포

니아 지역들 뿐만 아니라 뉴욕과 시카고에도 지부를 냈다. 1953년, 협회 구성원들은 '게이로서의 전투적 자긍심'을 표방하는 동성애잡지 『하나 *One*』를 첫 발행했는데(같은 글:88) 공식적으로는 <매타친 협회>와 관계가 없었지만 주로 이 협회의 구성원들에 의해 만들어졌다. 협회가 보다 더 공적이고 쉽게 접근 가능해 질수록 협회의 공산주의적 기원은 문제가 되었다. 많은 협회 회원들이 더 이상 이 협회의 설립자들을 알지 못했고 이들을 한 번도 만난 적 없는 회원들도 있었는데 1950년대, 미국이 매카시즘에 지배되고 있을 시기에 많은 새 회원들은 협회가 공산당과 가져왔던 역사적 관계에 대해 심히 불편해 했다. 결과적으로 1953년 5월에 있은 한 회의에서 협회는 내규, 정관, 민주적으로 선출된 임원들을 가진 공적 단체로 재구성되었다.

정관을 입안하고 이후 나아갈 협회의 방향성을 결정하는 과정에서 두 개의 집단이 부상하였는데 하나는 설립자들, 그리고 다른 하나는 그들에 반대하는 이들로 특징지을 수 있다. 설립자들은 공산당이 존재할 권리를 옹호하였던 반면 이들에 반대하였던 이들은 공산주의자들의 침투로 인한 위협에 맞서야 한다고 주장하면서 협회 회원들이 반체제 활동을 하지 않겠다는 충성선서를 해야 한다고 제안하였다. 설립자들은 계속해서 동성애자들을 지배문화에 의해 억압받는 소수집단으로 표방했다. 그렇지만 반대자들은 동화주의 노선을 주장하면서 동성애자들은 다른 누구와도 다를 게 없으며 효과적인 변화를 위해서는 의료계, 법계, 교육계 전문가들과 협조하는 것이 보다 더 생산적이라고 주장했다. 설립자들 쪽이 각 사안에 대한 투표에서 매번 이기기는 하였지만 그들은 선거에는 나가지 않기로 결정했다. 결과적으로 선출직은 모두 조직적인 반대파에게 주어졌고 <매타쉰 협회>는 극적으로 변화했는데 "사회적 규범의 수용이 특별한 게이 정체성에 대한 긍정을 대체했고, 집단적 노력은 개인별 행동에 길을 내주었으며, 자신의 경험을 분석하는 게이 남성과 레즈비언들의 능력은 전문가들의 현명함에 양도되었다"(같은 글:81). 어떤 면에서 이는 다시 한 번 동성애 옹호운동과 해방운동 사이의 차이보다는 유사성을 강조하는 것이고 <매타쉰 협회>가 걸어온 정치적 행보는 후기 게이 해방운동의 주류화를 예견하는 것이었다.

비록 <매타쉰 협회>가 공공연하게는 성차 중립적인 태도로 동성애에 관심을 보이기는 하였지만 남성중심적인 단체였다. 남성들에 의해 설립되었고 대체로 남자회원들로 구성되었으며 비공식적으로 회원을 모집하여 남자들 위주의 회원층을 지속시키려는 경향이 있었다. 그리고 게이 남성들에 대한 경찰 함정수사와 같은, 레즈비언들과는 직접적으로 연관되어 있지 않은 사안들에 자주 초점을 맞추었다. 디밀리오가 보여주듯 "상당히 자주 종종 무의식적으로 남자 동성애자들은 레즈비언의 경험은 간과한 채 게이다움을 정의하였고 레즈비언들이 <매타쉰 협회>에 들어오지 못하도록 공모하였다"(같은 글: 92-3). 협회 설립자들이 발전시킨 독특한 동성애적 정체성과 문화는 명백히 남성적이었고 심지어 협회를 재조직할 때에도 레즈비언은 고려 사안으로 여기지 않았다. 동성애자 정체성 형성에 있어서 젠더 문제는 핵심적인 것으로도 중요한 것으로도 인지되지 않았다.

<빌리티스의 딸들>이 이 상황을 바로잡았다. 원래 네 쌍의 레즈비언

커플들이 1950년대 레즈비언 바^{bar} 문화에 대한 대안으로 만든 친목단체였던 <빌리티스의 딸들>은 이내 우선적인 관심사를 바꿨고 레즈비어니즘이라는 말에 대해 흔히들 갖고 있던 관념을 개혁하고자 하는 정치적 집단이 되었다. 1956년 <빌리티스의 딸들>은 『사다리Ladder』라는 잡지를 출간하기 시작했는데 이 잡지는 모성, 이성결혼 관계에 있는 레즈비언들, 고용문제 등을 포함해 다양한 사안들을 다루었다. <빌리티스의 딸들>은 <매타쉰 협회>와 제휴하는 동시에 레즈비언들의 상황에 대한 특별한 관심을 지속해갔다. 젠더 문제의 중요성과 <매타쉰 협회>가 이 문제를 얼마나 쉽게 간과하는지를 공식화하면서 <빌리티스의 딸들>은 <매타쉰 협회>와의 합병에 반대한다는 조항을 정관에 기입해 넣었다. 그럼에도 (역자: 두 협회가) 공동으로 주관하는 행사들에서 <빌리티스의 딸들>은 독자적 여성 단체의 필요성을 옹호하라는 요청을 주기적으로 받았다.

주로 노동계급 레즈비언 중심의 바^{bar}문화라는 기존의 하위문화에 대한 대안으로서 – 혹자의 말로는, 거의 그 하위문화의 반대로서 – 설립된 <빌리티스의 딸들>은 레즈비언 바문화에서 눈에 띄게 드러나는 부치^{butch} 스타일과 그것이 천한 공장노동과 연관되는 것을 탐탁해 하지 않았다. 그들은 대신 보다 더 동화주의적인 가치들을 지지하면서 레즈비언들이 더 높은 임금을 주는 직장에 고용될 기회를 높이기 위해 누가 봐도 여성스러워 보이는 옷을 입어야 한다고 권고하였다. <빌리티스의 딸들>은 레즈비언 바 중심의 네트워크에 의지해 온 레즈비언들을 끌어들이지 않았다. 또한 이미 자신의 직업에서 성공했기 때문에 <빌리티스

의 딸들>의 보살핌이나 충고가 필요하지 않으며 그 성공을 유지하기 위해서는 자신의 레즈비언성을 비밀로 해야 했던 레즈비언들을 회원으로 가입시키는 것에도 성공하지 못했다.

비록 <매타천 협회>와 <빌리티스의 딸들>이 종종 젠더에 대한 분석에서는 의견을 달리하였지만 동성애에 대한 일반인들의 태도를 바꿔야 한다는 점에 있어서는 매우 유사한 관점을 가지고 있었다. 1950년대 말까지 두 단체는 잡지, 소식지, 신문 등을 통해 동성애에 관한 정보를 유통시키는 데에 집중했다. 초기 동성애 옹호단체들의 이러한 보수화는 이 단체들이 이제 자신들을 동성애자를 위한 단체가 아니라 동성애에 관심이 있는 이들을 위한 단체로 홍보하고 있다는 사실에서 볼 수 있다. 알선업체나 매매춘과 어떤 식으로든 연관될까봐 두려워하면서, 자신들의 모금행사는 사회적 사안과는 관련이 없다며 자주 사실을 부인하기도 하였다. 게다가 이들은 드랙퀸drag queen이나 심지어 부치 여성과 같이 적절한 젠더 관념을 위반하는 이들과는 어떤 관련도 없다고 공개적으로 주장하기도 하였다(Katz, 1976:406-33).

당시 동성애 옹호단체들은 심지어 동성애자들을 비정상적인 사람으로 묘사했고 동성애는 선천적인 상태이기 때문에 박해가 아니라 동정을 받아야 한다고 주장하였다. 이러한 입장을 표방했던 가장 유명한 문학작품이 1928년에 영국에서 출간된 레드클리프 홀Radclyffe Hall의 『외로움의 우물The Well of Loneliness』이다. 홀의 연인인 우나 트로브리찌Una Troubridge 는 '성적 도착'에 대해 이 책이 가지고 있는 정치적 의도를 다음과 같이 회상하고 있다. "[홀은] 그와 같은 책은 오직 성도착자에 의해 쓰여질 수 있으며, 이들만이 개인적인 지식과 경험을 통해 오해받고 잘못 판단되어온 소수자들을 대신해 말 할 수 있는 자격이 있다는 신념을 확고하게 가지고 있었다'(Troubridge, 1973:80). 현대의 독자들은 이 비극적 소설의 결말이 웃음이 나올 만큼 지나치다고 보기도 하지만 이 책이 요구하는ㅡ 여기서 종교적인ㅡ 품위에 들어있는 인정에 대한 요구와 관용에 대한 호소는 이후 동성애 옹호단체들의 전략이 된다. " "하느님", 그녀는 숨에 차 말했다. "우리는 믿습니다. 우리가 믿고 있다는 것을 당신에게 말하였습니다. … 우리는 당신을 부인하지 않았습니다. 그러니 일어나 우리를 보호해 주소서. 우리를, 오, 하느님, 이 모든 세상 앞에서 인정해 주소서. 또한 우리에게 존재할 권리를 주소서!' "(Hall, 1968:509). 동성애 옹호단체들은 동성애적 '상태'에 대해 전문가들로부터 의견을 구했고 심지어 동성애가 질병이라고 생각하는 전문가들에게까지 자신들이 가지고 있던 자료를 보냈다. <빌리티스의 딸들> 샌프란시스코 지부는 한 치료사로부터 여성의 생물학적 기능은 출산이기 때문에 레즈비언의 삶은 불만족한 것으로 끝날 수밖에 없다는 연설을 들었고, <매타쉰 협회>는 동성애를 질병으로 규정한 것으로 유명한 한 명성 높은 정신분석가를 뉴욕 회의에 초대하기도 했다고 디밀리오(1983:116-17)는 기록하고 있다. '전문가 의견에 판단을 맡기는 이러한 습관은 너무도 견고해서 1961년 미국 동성애 옹호단체들이 동성애가 병이라는 어떠한 의료적, 과학적 증거도 없다고 주장하자 "많은 활동가들이 '그 문제는 전문가들에게 맡겨놔야 한다'고 말하면서 이를 반박했다'(Katz, 1976:427).

    <매타쉰 협회>도 <빌리티스의 딸들>도 대중운동이 된 적은 없었다.

1950년대에 동성애자로 규정될 때 겪게 될 파문에 대한 두려움은 정치적 조직이 어렵다는 것을 뜻했다. 심지어 행사를 홍보한다거나 단체가 사용할 우편주소를 찾는 것과 같은 간단해 보이는 일조차도 어려움 투성이었다. 전문가들의 권위를 존중하는 것도 문제적이었고 동정심을 가진 이성애자들과의 잠재적인 동맹을 가능하게 하기 위한 타협에서 동성애 친화적인 사회 환경 개발 문제는 자주 뒷전으로 밀렸다. 비교적 자리를 잡은 <매타쉰 협회>는 단체의 남성중심적 방침과 우선 사안들로 인해 여성 회원의 가입을 장려하지 않았다. <빌리티스의 딸들>은 더 많은 여성들을 끌어들이는데 실패했는데 부분적으로 그 이유는 개선 프로그램들에 깔려 있는 계급적 선입견 때문이었다. 1960년까지 <매타쉰 협회>에는 230명의 회원이, <빌리티스의 딸들>에는 110명의 회원이 있었을 뿐이었다. 이 숫자는 동성애 옹호운동이 '동성애를 존중과는 무관한 것으로 규정하는 사회에서 존중받을 만한 것으로 보이게' 만드는 것이 얼마나 불가능한 것인지를 가리킨다(D'Emilio, 1983:125).

1990년대 시점에서는 동성애 옹호운동이 가진 관습과 보수성을 비판하는 것이 쉽다. 바로 이 점이 그 시기의 문화적 조건들이 당시 선택 가능한 저항방식의 특성을 대체로 결정한다는 점을 기억하는 것이 왜 중요한가를 보여준다. 예를 들어, 온건한 단체였던 <시카고 인권협회>는 설립된 지 고작 1년이 지난 후인 1925년에 해체 당했는데 이는 바로 경찰이 단체의 주요 인물들을 영장도 없이 체포하면서 비서의 침실에서 분첩을 찾았다는 말도 안 되는 '증거'를 제시한 뒤 있은 일이었다(Katz, 1976:391). 더욱이 동성애 옹호단체들이 충분히 진보적이지 않았다는 비판 자체가 부분적으로는 동성애 운동 초기에 진행된 그러한 혁신적인 활동 덕분에 가능해 진 것이다.

초기 동성애 옹호단체들이 이룩한 제한적인 성과에도 불구하고 그 단체들의 정치적 전략 중 많은 부분을 보다 더 최근의 압력 단체들의 활동에서 찾아볼 수 있다. 이 단체들은 정부에 탄원서를 제출하고 선거를 앞두고 후보자들에게 성명서를 요구했으며 정치적 소식지와 소책자를 제작해 배포했고 '동성애적 행위에 대한 광범위한 통계조사'를 실시하기도 했다(Lauritsen and Thorstad, 1974:23). 동성애 옹호운동과 해방운동 사이의 유사성은 대체로 부인되지만 몇몇 논객들은 이 둘 사이의 연속성에 주목해 왔다. 디밀리오(D'Emilio, 1983:3)는 '동성애 옹호운동이 1970년대 게이 해방운동이 주요대상으로 삼은 것과 같은 집단들과 같은 제도들─ 도시 경찰 세력, 연방정부, 교회들, 의료전문가들, 언론과 다른 매체들을 목표대상으로 했었다고 말한다. 회고적으로, 동성애 옹호운동을 혁명적이기보다는 보수적인 것, 따라서 게이 해방과 반대되는 것으로 특징짓는 경향이 있다. 동성애 옹호운동이 급진적 기원을 가졌고 게이 해방운동이 앞장서 옹호해 왔던 것들과 유사한 사안들을 제기해 왔으며, 다만 그것이 제기된 맥락과 그것이 낳은 효과가 달랐다는 점을 기억할 필요가 있다.

4. 게이 해방운동
Gay Liberation

1969년 6월 27일, 스톤월 여관Stonewall Inn이라 불리던 뉴욕의 게이바 gay bar와 드랙비drag bar를 급습한 경찰은 저항에 부딪혔고 결국 폭동의 주말로 치닫게 되었다. 주디 갈랜드Judy Garland — 많은 게이 남성들에게 오랫동안 이 진영의 상징이 되어왔던 사람 — 를 위한 추모제가 같은 날에 보다 일찍 열렸었다. 논객들은 스톤월을 '동성애자 사회 일대에 울린 총성'(Cruikshank, 1982:69)이라거나 <뉴욕 매타쉔> 소식지에서처럼 '세계에 울려 퍼진 머리핀 떨어지는 소리'(D'Emilio, 1983:232)라며 극적으로 묘사했다. 6월 27일은 이후 국제적으로 — 미국에서 가장 열광적으로 — '스톤월의 날', 레즈비언과 게이 정체성이 하나의 정치 세력으로서 구성되었음을 가리키는 날로서 계속 기념되어 오고 있다. 스톤월은 동화주의 정책과 정적주의quietist적 책략으로부터 멀어진 중요한 문화적 전환을 가리키는 다소 비논리적이지만 편리한 표식으로서, 게이 해방운동의 기원을 나타내는 다소 신화적이지만 중요한 날로서 상징적으로 기능한다.

1960년대 말 동성애 공동체 내의 몇몇 부문에서는 동성애자들이 처한 상황을 개선하는 데에 전념했던 많은 단체들이 띠고 있는 정적주의적 입장에 대한 불만이 점점 커지고 있었다. 여전히 이성애자들과 마찬가지의 법적 인정과 사회적 인정을 요구하면서도 동성애 옹호단체들은 이를 전투적 방법보다는 설득을 통해 점진적으로 확보하려 하였다. 이들은 동성애적 성을 선호하는 점 외에는 자신들도 모범 시민이며 이성애자들만큼 점잖고 더 이상의 어떤 기존 질서에도 방해될 일이 없다고 주장했다. 더 이상 관용과 승인을 간청하지는 않겠다는 보다 급진적인 단체들은 스스로 신좌파 사회 운동의 귀감이 되고자 했고 이성애적 지배 구조와 가치를 비판하기 시작했다. 자신들도 성적 대상을 선택하는 데 있어서만 다를 뿐 이성애자들과 똑같다고 말하는 대신에 게이 해방주의자들은 – 스스로를 그렇게 부르기 시작했는데 – 성차화된gendered 행동, 일대일관계(혹은 일부일처제), 법의 존엄함 등과 같은 문제에 대한 관습적인 지식에 도전했다. 레지나 카헤이Regina Kahey(1976:94)는 이런 태도의 변화를 "레즈비언들과 게이 남성들이 내 탓이로소이다라는 태도를 '엿 먹어라'라는 태도로 급속도로 바뀌갔다"고 묘사하고 있다. '엿 먹어라'라는 이 새로운 태도는 스톤월 항쟁에서 전형적으로 나타났다. 결국, 오늘날 역사적이 된 이 날을 식별하게 해주는 것은 경찰이 한 유명한 게이바를 급습했다는 점이 아니라 – 그런 일은 다반사였기 때문에 – 그곳에 있던 손님들이 저항을 했고, 그 중 많은 이들이 경찰을 향해 최초의 게이 해방주의자적 슬로건들을 외쳤다는 점이다.[6]

스톤월이 게이 해방운동이라고 알려지게 된 이 운동을 그야말로 시초 했던 것은 아니다. 그럼에도 동성애 옹호 정치와의 단절이라는 우연하고 극적인 실례로 인해 스톤월은 종종 게이 해방운동의 기원으로서 자리매 김 되고는 한다. 3일 간의 스톤월 항쟁에서 특징적이었던 것은 무엇일까? 권위에 대한 묵종은 언제 저항에 길을 내주었을까? 이 저항은 문화적 현장 – 드랙퀸과 복장전환인들이 자주 들렀던 크리스토퍼 가 ^{Christopher} ^{Street} 에 있는 한 게이바 – 에서 일어났고 그곳은 평판도 나쁜 동시에 발생기에 있던 게이 문화의 지표이기도 했던 곳이다. 이 저항은 자결권 이라는 관념을 표현해 냈다. 이 저항은 표현에 있어 전투적이었다. 동성 애 옹호단체들은 사회 변화를 자유주의적으로 접근해야 한다고 요구했 던 반면 게이 해방운동은 현 상태에 도전했다. 동성애 옹호단체들은 공 적 관계의 개선을 선호했고 주류 사회에 받아들여질 수 있는 동성애 이미지를 제시했다. 게이 해방운동은 이와 대조적으로 이성애자들의 불 안에 영합하기를 거부했고 자신들도 똑같다는 주장을 통해 지지를 호소 하기보다는 자신들이 다르다는 것을 드러냄으로써 사회가 충격을 받도 록 만들었다. 동성애 옹호운동이 동화주의를 옹호했던 반면 게이 해방운 동은 뚜렷하게 구별되는 게이 정체성이라는 관념을 중심으로 구축되었 다. 이 두 운동들 사이에는 분명히 서로 다르게 지속되고 있는 것들이 있지만 "그럼에도 불구하고 본질적으로 게이 해방운동은 이전의 동성 애 옹호단체들이 그랬던 것보다 훨씬 더 게이로서 산다는 자긍심에 기반을 둔, 새로운 감성의 정체성에 대한 주장과 창출에 관심을 가졌 다"(Altman, 1972:109). 이것은 중요한 차이였고 레즈비언과 게이 정치에서 퀴어로의 전환queer turn을 이해하는 데 있어 매우 중요하다. 퀴어 이론에서 문제가 된 것은 정확히 바로 이 '새로운 감성의 정체성'-'자긍심'-이었다. 게이 해방주의자들의 이상을 인내하지 못하고 퀴어는 게이 해방운동이 이전의 동성애 옹호운동과 가졌던 갈등의 지점들을 색다르게 시연했다.

스톤월은 게이 해방운동의 신화적 기원으로서 안전하게 위치해 있다. 그럼에도- 성 정치sexual politics에 대한 일관된 감성을 발전시키고 새롭게 정치화된 정체성들을 조직함으로써- 대중운동으로 통합해 내는 추동력은 경찰이 게이바를 급습했다는 것 이상의 충분한 설명들을 필요로 한다. 동성애 옹호운동은 그것이 가진 보수성에도 불구하고 공동체와 정체성 정치의 감성이 부상하는 데에 큰 역할을 했는데, 대중운동으로 변모하려했던 시도는 성공하지 못했지만 그것이 남긴 유산은 게이 해방운동에 긍정적인 영향을 주었다. 동성애 옹호운동의 역사는 억압 자체가 성적 정체성들이 자동으로 정치화되도록 하지는 않는다는 것을 보여준다. 제프리 윅스(1985:191)가 다음과 같이 말하고 있듯이 말이다.

그들의 등장은- 집단적 시도를 가능케 하는 공동체 경험이라는 감성을 만들어 내기 위해- 복잡한 사회정치적 조건들을 필요로 한다. 이에, 다음 다섯 가지 조건이 필요한 것 같다. 즉, 같은 상황에 놓여있는 많은 수의 사람들, 지리적 집중, 식별 가능한 반대 측 대상, 사회적 위치에서의 갑작스러운 사건이나 변화들, 그리고 쉽게 이해될 수 있는 목표를 가진 지적 지도력 등의 조건들이 필요해 보인다.

이 모든 조건들이 미국에서 신좌파를 구성하고 게이 해방운동에 많은 추동력을 제공해 주었던 급진적 운동연합체에서 맞아 떨어졌다. 디밀리오(D'Emilio, 1983:233)에 따르면 '스톤월 항쟁'은 "1960년대 많은 미국 청년들을 흥분시켰던 급진적 운동 때문에 아주 많은 게이 남성들과 여성들 사이에서의 민중 '해방'을 위한 노력을 전국적으로 촉발시킬 수 있었다." 동성애 옹호운동을 하던 남성들과 여성들이 게이 해방운동을 구성했던 이들보다 훨씬 보수적이었다는 단순한 사실 때문이 아니었다. 이 두 운동들이 처했던 사회적 맥락 또한 상당히 달랐다.

대항문화운동(혹은 반문화운동counter-culture movement)은 게이 해방운동에 중요한 맥락을 제공한다. 디밀리오(같은 글)는 "1960년대 말에 눈에 띄게 새로운 시위문화가 미국에서 형성되었는데 개혁주의적인 게이 운동과 묘하게 대조를 이루는 것이었다"고 쓰고 있다. 전투적 흑인운동, 급진적 학생운동, 히피와 반전 운동가들은 경찰과의 거리 싸움에서 정면충돌 전술을 도입했고 폭탄 공격과 대학 건물 점거 등의 전략을 썼다. 그러는 동안 동성애 옹호운동은 계속해서 합리적 토론과 설득을 통한 개혁을 추구했다. 게이 해방운동에 끼친 대항문화운동의 효과는 기본적으로 그 운동이 미국적 맥락에서 일어나기는 했지만 미국에 한정되지는 않았다. 시드니 게이 하위문화에 대한 역사적 설명에서 게리 워더스푼 Garry Wotherspoon(1991)은 유사한 관점에서 '대항문화적 혁명과 성해방운동으로부터 나온 생각들'이 도시의 게이 하위문화 집단들을 게이 해방운동으로 전환시킨 중요한 요소라고 규정하고 있다. 많은 서구 나라들에서의 대항문화운동의 성공과 확산은 게이 해방운동에 새로운 조직구조와 새로운 윤리적, 이데올로기적 논거들, 그리고 새로운 저항적 실천 방식을 제시해 줌으로써 게이 해방운동이 부상할 수 있도록 해주었다.

데니스 알트만Dennis Altman은 자신의 책『동성애 억압과 해방Homosexual Oppression and Liberation』(1972)에서 미국 게이 해방운동과 지배 문화에 대한 다른 대항문화적 도전 사이의 관계를 논하고 있다. 알트만은 "게이 해방운동이 수용한 미국 사회에 대한 비판은 십년 동안 증가해 온 기대와 좌절의 흔적을 품고 있다"고 주장했다(Altman, 1972:174). 특히, 알트만은 여기서 흑인 해방운동(민권운동보다는), 여성 운동, 청년 봉기를 지목하고 있는데 이 운동들은 부분적으로는 미국의 베트남전 참전에 대한 반응 속에서 많은 '공격, 고발, 탈퇴' 등을 보았다. 항상 같은 원인과 원칙을 고수한 것은 아니었지만 서로 다른 이 대항문화운동들은 지배문화에 대한 반대에 있어서는 통일되었다. 그들은 근면한 노동, 개인주의, 그리고 가족 가치를 기풍으로 하는 '위대한 미국의 꿈'이라는 검토되지 않은 근거를 비판했다. 알트만은 이 다양한 운동들이 '새로운 의식', 즉, 위선에 대한 의심과 권위에 대한 강한 불신을 만들어 냈다고 주장한다(같은 글:171). 처음에 게이 해방운동은 그 목표가 다른 사회운동들의 목표와 맞물려 있다고 이해했고 대항문화운동의 다른 해방주의적 투쟁들이 서로 연결되어 있다고 생각했다. 당시 이런 연결은 "영계는 깜둥이와 동등하고 깜둥이는 호모와 동등하다. 생각해봐라"(Wittman, 1992:332)라는 식으로 지나치게 단순히 공식화되었다. 그럼에도 불구하고 이런 연결은 게이 해방운동이 단일 사안에 대한 투쟁이 아니며 다른 억압 형태를 다룰 수 있는 역량 있는 분석틀을 가질 때 비로소 타당해 질 수 있음을 가리켰다. 앨런 영^Allen Young(1992:25-6)은 " '게이 해방운동'이 '모든 억압받는 민중들을 위한 통일된 혁명적 관점 – 즉, 남성 우월주의, 인종차별주의, 경제적 착취(자본주의)를 통해 다른 이들을 노예화하는 사회에서는 게이들을 위한 자유도 있을 수 없다는 관점 – 을 가지고 있다'고 쓰고 있다. 수사적 표현, 정치적 분석, 그리고 선호하는 전략들에서 분명히 알 수 있듯이 새로운 형태의 게이 해방운동은 동성애 옹호정치의 한계가 만들어낸 결과였을 뿐만 아니라 새로운 문화운동 무리의 결과이기도 했는데 이것은 중앙집중적 권력과 지배 이데올로기들에 대한 엄청난 비판을 집단적으로 만들어냈다.

　압도적으로 미국 편향적인 이 설명은 북미에서의 정치적 발전이 2차 대전 이후의 게이/레즈비언 운동과 분석의 국제적 발전에 얼마나 영향을 미쳤는지를 – 그리고 대체로 계속해서 미치고 있는지를 – 알려준다. 알트만(Altman, 1982:217)이 주목하였듯이 "미국의 동성애화에 대해 말할 수 있다면 다른 지역에서 있은 게이문화의 미국화에 대해서도 말할 수 있다는 것을 의심할 필요도 없다." 알트만은 다른 나라들에서의 레즈비언/게이 운동의 시작에서 볼 수 있는 지역 특성에 대해 북미가 보이는 무관심을 비판하고 있지만 '세계에서 미합중국이 갖는 중심성' 때문에 국제적인 게이/레즈비언 운동은 계속해서 미국의 발전에 상응하여 반응하게 될 것이라는 점을 인정하고 있다(Altman, 1990:64). 호주 게이 해방운동이 갖는 독특함에 대해 말하면서도 알트만(같은 글: 63)은 다소 과장되게 다음과 같이 말하고 있다.

미합중국은 세계 전역에 걸쳐 레즈비언들과 게이 남성들의 상상과 환상에서 특별한 위치를 차지하고 있다. 카스트로 거리Castro Street, 서 헐리우드West Hollywood, 파이어 섬Fire Island (여성들에게는 미시건 여성 음악 축제Michigan Women's Music Festival도 있다)은 우리에게 양차대전 사이 베를린과 파리가 미국 동성애자들에게 의미했던 것과 같은 것이다.

게이 해방운동의 발흥에 대한 호주적 설명은 자주 미국적 조건이라는 맥락에서 이루어진다. 예를 들어, 워더스푼(Wotherspoon, 1991)은 냉전, 제2물결 페미니즘, 반전운동, 그리고 성혁명이 호주 게이 해방운동의 발달에 결정적이었다고 상세히 설명하고 있다(Thompson, 1985 비교). 다른 나라의 게이 해방운동에 끼친 미국의 영향은 종종 노골적으로 이야기된다. 배리 아담Barry D. Adam(1987:83)에 따르면 '1970년에 게이 해방운동이 런던에 도달'했는데 "이때 오브리 월터Aubrey Walter와 밥 멜로Bob Mellors가 뉴욕에서 돌아와 런던 경제대London School of Economy에서 게이 해방운동 회의를 소집했던 것이다." 이 현상이 단순히 미국 문화제국주의의 효과로 이해될 수는 없다. 그런 주장이 자주 제기되기는 하지만 말이다. 그것은 20세기 후반에 미합중국이 정부체계, 경제발전, 국제무역, 평화협정에서부터 대중문화의 형태, 속어적 표현, 하위문화적 양태에 이르기까지 서구적 삶의 많은 영역에 영향을 끼쳐 왔던 아마도 중층적이지만 부인할 수 없는 방식들을 나타내는 현상일 것이다.

결코 사소하지 않은 지역적 편차들은 국제적인 게이 해방운동의 범위에 대한 보다 섬세한 설명을 가능하게 하는 특수한 압력과 조건들을 잘 알아보게 해준다. 이 분야에 관한 매우 흥미로운 작업들이 진행되어 왔다. 미국과 호주의 게이 해방운동에 대한 비교에서 호주에는 동성애 옹호운동에 상응하는 것이 없었다는 점을 고려해야 한다. 워더스푼 (Wotherspoon, 1991:162)은 "영국, 미국 또는 독일과 달리 호주는 이전 시기의 게이 운동 역사가 없다"는 점을 지적한다. 사실, 1970년이 되어서야 미국 동성애 옹호단체인 <빌리티스의 딸들>의 지부가 <호주 레즈비언 운동Australian Lesbian Movement>으로 멜버른에서 결성되었다(같은 글: 168). 1970년대 시드니 게이운동 발생기에 관한 데니스 톰슨Denise Thompson의 연구는 정확하게 '호주에 미국에서와 같은 오랫동안 구축되어 온 [동성애 옹회]단체가 없었던 바로 그 이유 때문에' 호주 게이운동의 기원이 미국과는 달랐음에 주목하고 있다(Thompson, 1985:9). 초기 단체였던 <도덕적 박해에 반대하는 캠페인Campaign Against Moral Persecution, CAMP>의 조직가들은

> '스톤월 항쟁'을 통해 이뤄진 미국에서의 시류에 편승하는 것에 반대했다. 그들은 호주 동성애자 운동은 구체적으로 호주적인 맥락 안에서 일어나야 한다고 주장했다. '게이'라는 용어에는 특별히 반대하지 않았지만 … 호주에서의 운동이 다른 곳에서 일어난 운동을 자동적으로 따라서 해야 할 아무런 이유가 없다고 보았다(같은 글).

가이 호켄하임의 『동성애적 욕망Homosexual Desire』(1972)의 1978년판 서문에서 제프리 윅스는 프랑스 게이 해방운동의 이와 다른 계보에 대해 논하고 있는데 프랑스 지식인들이 정신분석학에 대해 갖는 관심과 나폴레옹시대 법률 하에서 동성애가 1942년까지 범죄화되지 않았다는 사실

등을 근거로 하고 있다(Hocquenghem, 1993:23-47). 배리 아담(Adam, 1987: 82-9)은 영국, 캐나다, 호주, 뉴질랜드, 독일, 네덜란드, 프랑스, 남미에서 받아들여진 게이 해방운동 모델의 차이를 설명하기 위해 서로 다른 나라들의 지리정치학적 차이와 사회경제학적 차이를 조사하였다. 게이 해방운동의 국제적 확산에도 불구하고 특히 영어를 사용하는 나라들에서의 해방운동은 미국식이었다. 이에 대해 아담(같은 글: 86)은 '전후 미국의 헤게모니는 상당 부분의 제3세계에서 뿐만 아니라 특히 선진 자본주의 국가들 사이에서 동성애 사회조직과 정치운동의 발달에 영향력을 행사해 왔다고 보고 있다. 그 결과, 게이 해방운동에 대한 다음 논의에서 내가 쓰고 있는 호주 출처 자료 중 어떤 것들은 특별히 호주적인 것이라기보다는 호주 게이해방운동의 미국식 굴절을 보여주고 있다고 하겠다.

전국적으로 그리고 국제적으로 게이 해방운동은 획일적이지도 않았고 완전히 일목요연한 사회 운동도 아니었다. 게이 해방운동은 레즈비언과 게이를 억압하는 구조에 대한 분석들과 그러한 억압이 어떻게 극복될 수 있을 것인가를 중심으로 조직되었다. 동성애는 젠더 불균형, 성적 재생산, 그리고 가부장적 핵가족에 특권을 주는 이성애중심주의적 권력구조에 의해 탄압받는 정체성으로서 재현되었다. 동성애 옹호운동과 달리 게이 해방운동은 이 체제가 그 안에서 이익을 얻는 이들에 의해서는 결코 근본적인 변화를 갖게 될 수 없다는 것을 이론화했다. 지배적인 성과 젠더 범주 공식(그리고 그 공식을 지원하는 제도들)은 오직 하위주체의 지위를 거부하고 문자대로의 폭력행위와 상징적 폭력행위를 통해 그 체제를 파괴할 게이 남성들과 레즈비언들에 의해 뿌리 뽑힐 수 있는 것이었다. 게이 정체성은 혁명적 정체성이었다. 그 정체성이 추구했던 것은 사회적 인정을 받는 것이 아니라 동성애를 주변화하고 병리화하는 사회 제도를 전복하는 것이었다. 지금까지 동성애는 성과 젠더를 이해하는 규범적인 방식에 순응하지 않았기 때문에, 해방주의 담론에서 동성애는 규범적인 성과 젠더 범주들이 전복되는 전조로서 그리고 모든 이들을 위한 새롭고 중재되지 않은 섹슈얼리티를 가능하게 만드는 것으로서 이야기되었다.

게이 해방운동은 다른 새로운 사회운동들에 의해 사용되었던 혁명 수사를 받아들이면서 동성애 옹호운동이 했던 것보다 훨씬 더 공격적이고 훨씬 덜 회유적인 전략을 썼다. 디밀리오(D'Emilio, 1983:234)에 따르면 "게이 해방주의자들은 전투적 동성애 옹호운동이 표적으로 삼았던 제도들을 똑같이 표적으로 삼았다. 그러나 미국 사회로부터 비롯된 그들의 반감은 이전의 활동가들은 한 번도 받아들이지 않았을 전략을 사용하도록 만들었다." 결국 북미에서 부상한 게이 운동의 주된 기폭제는 동성애를 병으로 보았던 지배적인 정신의학적 관점에 도전하기를 주저했던 동성애 옹호운동에 대한 불만이었다. 정신과 전문의들이 동성애를 덜 병리학적인 관점에서 보다 더 자유주의적으로 받아들이도록 그들을 설득하려고 노력하는 (동성애 옹호단체들이 했던 것) 대신 게이 해방주의자들은 그와 같은 '전문가' 의견을 반박했고 자신들의 개인적 경험이 가진 권위가 인정되어야 한다고 주장했다. 미국 게이 해방주의자들은 동성애를 계속 병리적인 것으로 만드는 것에 반대하기 위해 <미국 의료

협회>와 <미국 정신의학 협회>의 연례대회를 방해했다(Alinder, 1992: 141-4; Chicago Gay Liberation Front, 1992:145-7). 반정신의학 구호였던 '상담의자에서 내려와 거리로 나가자Off the couches, into the streets'에서처럼 활동가들이 정신의학자들에게 '동성애자 내담자들을 게이 해방운동으로 연계해 주라고 요구한 것은 동성애혐오 문화 안에서 살고 있는 동성애자들의 정신적 고통은 정신의학적 개입이 아니라 정치적 개입으로 해결될 수 있다는 해방주의적 믿음의 증거다(Chicago Gay Liberation Front, 1992: 146). 호주 게이 해방운동 소식지들은 자주 동성애에 대한 정신의학적 평가를 비판하는 글을 실었다(Jeff, 1972; Wills, 1972; Watson, 1974). 이 글들은 정신의학적 개입의 대안은 게이 의식화 단체들에 대한 동료들의 지원이나 게이를 긍정하는 정신의학자들의 상담이라고 주장하였다.

해방주의적 운동이 동성애 옹호운동 전략과 달랐던 것은 게이 정체성에 대한 대중의 추측과 전문가 의견에 대한 불신이었다. 이런 전술들은 동성애에 대한 정신의학적 모델과 의료적 모델에 도전하는 것에서 뿐만 아니라 많은 다른 개입들에서도 활용되었다. 동성애가 정치화된 정체성임을 강조하고 게이화된 지식이 유효함을 주장하는 것은 해방주의적 모델에서 '커밍아웃coming out'과 의식화를 강조함으로써 가능해 졌다. 게이 해방주의자들은 커밍아웃 서사— 자신의 동성애에 대한 모호하지 않은 공개적 선언—를 사회 개혁을 위한 강력한 수단으로서 장려했다. 이 시기부터 호주 게이 소식지는 커밍아웃이 가진 다방면적 효과에 대한 게이 해방주의자적 강조를 특징으로 가져간다. '게이임이 자랑스럽습니까?'라는 부제의 글에는 다음과 같이 적혀있다.

우리는 스스로를 위해 당신이 동성애자라는 사실을 모든 이들에게 상기시키는 것-커밍 아웃-이 매우 중요하고 이로써 자신에 반하는 반동성애적 행위를 당하지 않게 될 것이며, 또한 아직 자신이 동성애자임을 드러내지 않았거나 자신의 동성애성에 대해 확신을 갖지 못한 다른 동성애자들이 다른 사람들도 동성애자이고 그들은 그 사실을 기꺼이 누린다는 것을 알 수 있게 되는 것은 매우 중요하다고 믿는다(Gay Pride Week News, 1973, 1).

여기서 말하는 커밍아웃의 논리는 동성애가 단순히 친구나 동료들과만 나누는 개인의 사생활적 측면이 아니라는 것을 가정한다. 대신, 동성애는 더 이상 수치스러운 비밀이 아니라 합법적으로 인정된 이 세상에서의 한 존재방식이 될 때까지 공적으로 공언되어야 하는 변혁적 잠재력을 가진 정체성이다.

보통 제2물결 페미니즘과 더 연관되어 있던 의식화 단체들도 동성애자들을 지지하는 토론과 개인적 성장을 위한 장을 제공하는 데 있어 중요했다. 위계적 형식을 피해 이 단체들은 단체 성원들끼리 동료관계를 가졌고 전문성보다 경험을 더 가치있게 여겼다. 게이 남성들과 게이 여성들은 억압을 당한 경험이 공통되게 많을 것이라고 여겨졌고, 의식화 즉, 경험들에 대한 검열 없는 토론이 개인에게도 힘을 주고 동성애혐오 문화를 함께 이해할 수 있게 해줄 것이라고 여겨졌다(A Gay Male Group, 1992:293-301). 전형적으로, 의식화 단체들은 성장, 성 경험, 가족들과의 관계와 같은 문제들에 대해 토론했다. 이 자리에서 얻어진 지식은, 공정하고 진실된 토론이 이루어지도록 마련된 새로운 규칙과 함께, 게이 관계의 개선과 교육과 법 개정에 대한 공동체 윤리와 같은 다양한 방면에서의 개혁을 가능하게 할 것이라고 여겨졌다.

　게이 해방운동 진영에서는 해방주의자들의 수사에서 묘사된 것과 같이 '성 역할^sex role'이라는 측면이 아닌 사람으로서 사람이 가치있게 여겨지는 조건들을 만들어 낼 필요성에 대해 많은 이야기들이 있었다. 동성애 억압은 압도적으로 젠더라는 측면에서 이론화되었는데 이는 "남성 동성애자들이 일반적인 우리의 행동, 아니면 우리의 섹슈얼리티가 비남성적^non-masculine이라고 생각된다는 점에서 가부장제의 억압을 공유하기 때문이다"(Hurley and Johnston, 1975:24). 젠더라는 제약을 거부하는 것에 대한 많은 토론이 있었고 소규모의 여성화 운동^effeminist movement에서 가장 급진적으로 논의되었다. 여성화 운동은 게이 남성들에게 있는 여성스러움을 찬양했는데 이것이 심지어 일반 남성처럼 행동하는 게이 남성들조차 향유하고 있는 가부장적 특권을 거부하는 것이라는 이유에서였다. 여성화주의자들은 성차별에 반대했고 게이 해방운동가들이 페미니즘의 요청에 더 주의를 기울여야 한다고 촉구했다.

　　페미니즘은 젠더역할과 핵가족(자본주의적 가부장제가 효과적으로 기능할 수 있도록 하는 기본적인 이데올로기 단위들)이라는 남성신화를 부순다. 페미니즘은 국가와 자유방임주의적 자본주의 그리고 그 체제가 우리에게 떠맡겨 온 관능과 출산의 이분법을 파괴한다. 관능^eroticism 과 재생산^reproduction 이 분리될 수 있는 독립체로 보여 진다면, 그리고 남성적 역할^masculine role 과 여성적 역할^feminine role 이 인간발달을 제한하는 요인으로 무효화된다면 동성애적 개인은 자동적으로 해방된다(Hawkins, 1975:23).

게이 해방운동은 특정한 젠더 역할을 자연적인 것으로 여기도록 만들면서 이성애적 특권을 안정화시키는 체제에 도전하고 있다고 스스로를 이해했다. 앨런 영(Young, 1992:29)은 "성차별적 사회에서 일반 남성들의 권력을 보호하기 위해 동성애는 금기 행위가 된다. 게이로서 우리는 우리가 태어날 때 작동하기 시작하는 젠더 프로그래밍을 중단할 것을 요구한다'고 쓰고 있다.

게이 해방철학은 동성애에 대한 관용 이상의 것을 보장받는 것이 목표였다. 사회 구조와 가치의 급진적이고 광범위한 개혁을 이루고자 했다. 이 철학은 사회 구조와 가치의 전격적이고 광범위한 변혁에 전념했다. 젠더와 성역할이 모든 이들을 억압한다고 보았기 때문에 게이 해방운동은 소수 인구에 대한 합법적 정체성으로서 동성애가 인정받기를 바랐을 뿐만 아니라 '모든 사람들 안의 동성애자를 자유롭게 만들기'를 바랐다(Wittman, 1992:341). 마샤 셸리^{Martha Shelly}(1992:34)는 다음과 같이 말한다.

> 우리 급진적 동성애자들이 무엇을 원하는지 내가 말하겠다. 우리는 당신이 우리에게 관용을 베풀거나 우리를 받아들여 주거나 이해해주기를 원하지 않는다. 그리고 이런 것들은 오직 당신이 우리들 중 하나가 됨으로써 할 수 있다. 우리는 우리의 형제와 자매를 해방시키기 위해서, 당신 안에 파묻혀 있는, 당신 두개골 안에 감금되어 있는 동성애자들을 만나기를 원한다.

게이 해방운동은 모든 이들이 동성애자가 되는 미래를 상상하지 않았다. 게이 해방운동이 주장했던 것은 동성애가 성과 젠더라는 제약들로 구성되지 않은 섹슈얼리티의 형태를 자유롭게 할 수 있는 잠재력이 있다는 것이다.

비록 게이 해방운동이 기본적으로 게이 정체성과 게이 자긍심을 중심으로 조직되었지만 초기에 이 운동은 양성애자bisexual, 드랙퀸, 복장전환인transvestite, 성전환인transsexual 등 성적으로 주변화된 다른 정체성들과도 정치적으로 가까웠다. 게이 해방운동의 원칙은 다른 광범위한 정체성 식별 범주들에도 이로웠다. 드랙퀸과 복장전환인은 스톤월 항쟁에서 두각을 드러냈고(D'Emilio, 1983:231-3) 때로 다른 성적 소수자들과 함께 초기 게이해방운동 수사에 등장했다. 미국 게이 해방운동의 전개에 관한 논의에서 알트만(Altman, 1972:113-16)은 게이 해방운동가들이 대체로 '백인, 중산층, 고등교육을 받은' 남성들이었던 한편 - 게이 정체성은 이후 게이 운동이 시민권 요구 단계에 있을 동안 강화되었다 - 소수의 복장전환인, 성전환인, 그리고 간성인들hermaphrodites도 운동의 가장자리에서 눈에 띄게 있었다고 말한다. 해방주의자들의 이러한 포용성은 1974년 호주대학신문 특집에 실린 게이 선언에 분명하게 표현되어 있다. 선언에 있는 기본적 요구사항들은 '성sex 을 바꿀 수 있는 개인의 권리에 대한 전적인 인정과 이에 필요한 모든 의료 조치를 무상으로 받을 권리'를 포함하고 있다(무명인, 1974:5).

게이 해방운동가들이 다른 성적 소수자들을 지지했던 것은 이성애적 사회가 그들을 게이로 여겼기 때문이거나 하위문화가 서로 겹친다는 부정할 수 없는 사실 때문이 아니었다. 오히려 게이 해방운동은 동성애의 주변화와 가치절하가 사회적 규범을 구성하는 성과 젠더가 지배적이고 엄격하게 위계적으로 개념화된 결과라고 이해했다. 동성애를 해방시키기 위해 게이 해방운동은 여성성과 남성성에 대한 고정된 관념을 뿌리 뽑는 데에 전념했다. 이 움직임은 게이 해방운동이 규범적 성과 젠더 역할이라고 비판하는 것에 의해 억압받고 있는 다른 모든 집단들도 마찬가지로 해방시킬 것이었다. 해방주의 수사는 게이 해방이 대체로 알트만 (Altman, 1972:58)이 젠더와 섹슈얼리티에 대한 사회적 태도의 개혁이 낳은 '훨씬 광범위한 성적 해방'이라고 부른 바로 그 맥락에서만 가능하다고 보았다. 초기 게이 해방주의 수사 안에서는 만약 동성애자의 해방에 필수적이라고 규정된 사회 개혁들이 이루어지면 섹슈얼리티 자체도 해방될 것이라고 이해되었다.

「해방: 다형적 전체를 향하여*Liberation: Toward the Polymorphous Whole*」라는 제목의 장에서 데니스 알트만은 해방의 여러 가지 목표를 규정하고 있다. 이 목표들은 성 역할을 근절하는 것, 제도로서의 가족을 개혁하는 것, 동성애 혐오폭력을 끝내는 것, 잠재적 양성애를 위해 동성애와 이성애라는 획일적 범주들을 종식시키는 것, 관능적인 것에 대한 새로운 어휘를 개발하는 것, 섹슈얼리티를 재생산이나 지위의 지표가 아니라 즐겁고 관계적인 것으로 이해하는 것 등을 포함하고 있다. 알트만은 해방이 '우리로 하여금 우리가 가진 본질적으로 양성적이고 관능적인 성질을 인정할 수 없도록 가로막는 과잉 탄압으로부터의 자유'이고 '인간의 잠재력을 완수하기 위한 자유'(Altman, 1972:83)라고 정의 내린다. 게이 해방주의자들은 성과 젠더에 대한 전통적 개념화가 사람들로 하여금, 본질주의적 개념에서 말하자면, 진정한 자신을 인정하지 못하게 제약한다고 믿었다. 성이 어떠한 결과도 갖지 않고 젠더가 더 이상 존재하지 않는 세상은, 게이 해방주의자들이 주장하기로는, 스스로를 이성애자나 동성애자로만 인식해야 한다는 명령에 의해 탄압받았던 양성애적 잠재성이 개발될 수 있도록 해 줄 것이다.

> 탄압받지 않는 개인은 자신의 양성애적 잠재성을 알아본다. 그 사람은 킨제이가 말하는 행동척도의 중간 어디쯤에 있는 어떤 이상적 개인이 아니다. 사람들은 여전히 사랑에 빠질 것이고 관계를 맺을 것이다. 그리고 그 관계들은 이성애적일 뿐만 아니라 동성애적이기도 할 것이다. 다른 것이 있다면 이성애적 관계와 동성애적 관계 사이의 사회적 차이가 없을 것이라는 점이고 일단 이런 일이 일어나면 우리는 제한을 받는다는 느낌을 버릴 수 있게 될 것이고 배타적으로 일반(역자: 이성애자) 중심적인 세계와 배타적으로 게이 중심적인 세계 사이에서 어느 하나를 선택해야만 한다는 느낌도 버릴 수 있게 될 것이다(같은 글: 94).

일단 젠더를 억압적인 분류체계라고 이론화하면 이성애와 동성애도 단순히 '인위적인 범주'로서 이해되게 된다(Young, 1992:29). 이성애와 동성애는 젠더 관계라는 측면에서 규정되는 것이므로 게이 해방운동은 이 범주들이 오직 전략적 목적을 띠는 것일 뿐이고 일단 젠더 구분이 더 이상 의미가 없어지면 폐기될 것으로 여겼다. 주디 그래한 Judy Grahn이 주장하듯 "누구나 어느 누구와든 사랑에 빠질 수 있게 허용된다면 '동성애자'라는 말은 필요 없어질 것이다"(Third World Gay Revolution, 1992:258 재인용). 이런 주장은 흔했다. "게이 혁명은 모든 사회적 관계들과 감각적 관계들이 게이스럽고 동성/이성-애가 이해될 수 없는 용어가 되는 세상을 만들 것이다"(Gay Revolution Party Manifesto, 1992:344). 게이 해방운동이 동성애가 개념화되는 방식 자체를 급진적으로 바꾸고자 했던 만큼 그 목표를 달성한다는 것은 현재 이해되는 방식으로의 동성애와 이성애 범주 자체를 끝내는 것이라고 이해되었다. 알트만(Altman, 1972:227)이 보듯 "만약 남자/여자 류가 동성/이성-애라는 분류를 없앨 수 있는 지점에 다다른다면 그런 손실은 충분히 획득할 가치가 있는 것이 될 것이다."

게이 해방운동은 동성애 옹호운동을 국제적인 대중운동으로 탈바꿈시켰다. 게이 해방운동의 성과는 잘 알려져 있지는 않았던 동성애 옹호운동의 활동으로 가능했지만 이후 게이 해방운동의 성과는 상당했다. 한 번도 스스로 내세우는 만큼 그렇게 혁명적인 세력은 되지 못했지만 게이 해방운동은 정치적으로 효과적으로 기능했던 공적인 (그리고 단순히 성적이지만은 않은) 게이 정체성을 만들어냄으로써 서구 사회 조직을 돌이킬 수 없게 바꿔놓았다. 무젠더적genderless 사회여서 '이성애'와 '동성애'가 단순히 묘사적인 기능을 할 뿐인 그런 사회를 만드는 데는 성공하지 못했지만, 게이 해방운동은 젠더란 이성애를 지탱해 주는 억압적인 구성물이라며 핵심적이고 파급력 있는 비판을 구성해냈다. 젠더를 비자연적인 것으로 만드는 것이 해방주의자들과 이후 퀴어 이론가 사이를 잇는 아마도 가장 강력한 연관성이기는 해도 게이 해방운동과 퀴어 사이에는 많은 다른 연관들도 있다. 1972년에 칼라 제이Karla Jay 와 앨런 영이 엮어냈던 게이 해방운동의 고전, 『벽장 밖을 나와서Out of the Closets』를

20년 후인 현재에 재출간하는 것이 갖는 의의를 평가하면서 마이클 워너 Michael Warner(1992:18)는 '이 책의 재출간은 지금 퀴어 이론과 관련되어 있는 많은 통찰력과 열망이 – 레즈비언과 게이 남성들 사이에서 뿐만 아니라 레즈비언들 사이에서 자신들 사이의 다층적인 차이에 관한 자의식적 대화를 포함해 – 긴 역사들을 가진 것임'을 보여준다고 적고 있다 (Chinn and Franklin, 1993 비교). 게이 해방운동에 있었던 많은 이데올로기적 가정들은 1990년대에도 매우 많이 남아있다. 정체성에 대한 옹호와 사회 조직의 기저가 되는 어떤 '자연적'이고 다형적인 섹슈얼리티라는 것에 대한 전념, 권력을 억압의 측면에서 이해하는 지배적 관점, 그리고 대규모의 사회적 변혁이나 해방의 가능성에 대한 믿음 등 모든 것들이 여전히 퀴어를 중심으로 한 새로운 지식과 실천에 의해 도전받고 있다.

5. 레즈비언 페미니즘
Lesbian Feminism

비록 적은 수의 여성들이 항상 게이 해방운동에 관여해 오기는 했지만 그리고 똑같이 적은 수의 레즈비언들이 여성운동에 관여해 오기는 했지만 레즈비언들은 점점 자신들이 양 진영 모두에서 주변화되어 있다고 느끼게 되었다. 그런 불만을 표출했던 선례들이 있다. 1904년으로 거슬러 올라가면 애나 룰링**Anna Rühling**이 <허쉬펠드 과학적 박애주의 위원회**Hirschfeld Scientific Humanitarian Committee**> 회원들에게 여성운동과 동성애운동이 갖는 관계에 대해 언급한 적이 있었다. 룰링은 여성운동이 동성애 사안을 거부했다는 사실에 주목했다.

동성애자 여성들이 수십 년 동안 여성운동을 위해 이룩했던 모든 성과를 고려해 볼 때, 크고 영향력 있는 여성운동 단체들이 적지 않은 수인 우레니언 **Uranian** *인들이 국가와 사회 안에서 공정한 권리를 보장받을 수 있도록 하는

---

* 19세기 서구에서 '제3의 성(third sex)'을 일컫는 용어였다고 한다. 이후 동성애자 남녀 모두를 일컫는 말로 쓰였다(http://en.wikipedia.org/wiki/Uranian, 2012년 3월 26일 참조).

데에는 심지어 손가락 하나도 까딱하지 않았다는 것은 경악스러운 일로 여겨질 수밖에 없다.(Lauritsen and Thorstad, 1974:18-19 인용)

주류 동성애 옹호운동이 젠더 사안에 대해 무관심했던 것도 <빌리티스의 딸들>이 포괄적인 범주라고 알려진 동성애에 자신들을 포함시키는 대신 레즈비언을 특별히 언급할 필요가 있음을 인지하도록 만들었다. 게이 남성들과 레즈비언들은 공통적으로 동성애성이 있다─ 즉, 동성을 대상으로 선택한다. 그러나 섹슈얼리티의 젠더화는 둘 사이에 상당한 문화적 차이를 만들어 냈다. "레즈비언과 게이는 하나의 성적 범주 안에 있는 두 개의 젠더들이 아니다'라고 제프리 윅스는 적고 있다(Weeks, 1985:203). 그리고 "각자는 서로 다른 역사를 가지고 있는데 그 구분은 정확하게 젠더를 따라 남자와 여자라는 정체성으로 복잡하게 조직되기 때문에 이루어진다." 예를 들어, 역사적으로 말해 섹슈얼리티와 남성성의 관계는 섹슈얼리티와 여성성의 관계와는 다르게 설정되어 왔다. 고용 접근성과 독립적인 수입은 여성보다는 남성에게 더 쉽고 더 이윤이 남는 일이었으며 형법에서 동성애는 거의 전적으로 남성적 성향인 것으로 여겨져 왔다.

1960년대 말과 1970년대 초에 게이운동과 여성운동이 발전하면서 한 번도 자신을 페미니스트로 규정한 적이 없었던 어떤 레즈비언들은 계속해서 게이 남성들과 함께 일했고 또 다른 이들은 두 운동 진영 모두에 동조했다. 그러나 상당수가 특히 레즈비언들의 정치적 입장을 분석하기 시작했다. 그것은 힘든 과업이었는데 무관심과 심지어 공식적인 게이 해방주의자들이나 페미니스트 단체들의 저항에 자주 맞닥뜨려야 했다. 레즈비언들의 반복된 개입에도 불구하고 게이 해방운동은 페미니스트들의 요구를 중요하지 않은 것으로 무시하는 경향이 있었다. 로리 베빙턴Laurie Bebbington과 마가렛 라이온스Margaret Lyons(1975:27)는 남성 게이 해방주의자들에게 "동성애와 페미니즘에 대한 논의는 … 가부장 사회에서 남자로서의 당신 역할에 정면으로 맞서고 당신의 성차별주의가 우리를 억압하는 방식들을 인지할 수 있는 기회다'라고 지적하였다. 처음에 페미니스트 운동은 레즈비어니즘과 공식적으로 거리를 두기 위해 조심스러워 했는데 레즈비어니즘과의 연관은 보다 더 근본적인 것으로 보였던 여성의 평등권 보장에 악영향을 줄 것이라고 느꼈기 때문이었다. 제2물결 페미니즘의 개척자이고 『여성성이라는 비밀스러움*The Feminine Mystique*』(1965)이라는 영향력 있는 책의 저자인 베티 프리단Betty Friedan 은 전투적 레즈비어니즘이 페미니스트가 얻어낸 것들을 약화시킬 가능성이 있다고 보았고 초기 레즈비언 운동을 '보라색 골칫거리lavender menace'라고 명명한 것으로 명성이 높다. 수잔 브라운밀러Susan Brownmiller 는 이 문제에 대한 프리단의 관점을 정정해 주려고 했지만 그럼에도 불구하고 전투적 레즈비언들을 '아마 관심을 살짝 딴 데로 돌리게 하고는 있지만 현재로서는 분명히 위험하다고 볼 수는 없는 이들'이라고 묘사하고 있다 (Echols, 1989:345 재인용). 그렇지만 페미니스트들이 레즈비언의 권리를 옹호하지 않으려고 한 것이 항상 그저 전략적인 이유였던 것만은 아니었다. 미국의 저명한 페미니스트인 티-그레이스 애킨슨Ti-Grace Atkinson 은 레즈비어니즘이 페미니스트 의제에 근본적으로 반대되는 것이라며 레즈비어니즘을 묵살하였는데 왜냐하면 레즈비어니즘은 '역할놀이를 수반하는 것이고 더 중요하게는 남성 억압을 기본적으로 상정하고 이를 기반으로 하고 있고' 따라서 '성 계급 체제를 재강화하는 것'이기 때문이었다(같은 글: 211 재인용).[7]

　이러한 불길한 출발에도 불구하고 레즈비언들은 계속해서 – 처음에는 은밀하게 이후에는 직접적으로 – 여성운동과 게이 해방운동의 제도화된 동성애혐오와 성차별주의에 대한 도전을 조직했다. 페미니즘이 동성애혐오를 반대하는 데에 전념하는 것을 포함하는 것이라고 관례적으로 이해되었던 1990년대에는 여성운동이 인정과 평등에 대한 레즈비언의 요구가 전형적으로 페미니스트적이라 보는 것이 논리적으로 보였다. 그렇지만 당시 여성운동과 레즈비언운동 역사에 대한 자전적 기록을 보면 시드니 애보트Sydney Abbott 와 바바라 러브Barbara Love(1973:108)가 지적하고 있듯 "1960년대 중반 여성해방운동이 시작되었을 때 레즈비언들에 대한 태도는 운동 안이나 밖이나 사실상 똑같았다." 미국 여성운동에서 인정받기 위한 레즈비언들의 제도적 투쟁은 처음에 가장 크고 영향력있는 여성해방운동단체였던 <전국여성단체National Organization for Women, NOW >의 조직 구조에 초점을 맞추었다. 다른 여성해방운동단체들의 경우에서처럼 레즈비언들은 <전국여성단체>의 모든 위계 체계에 포진해 있었지만 이들의 레즈비어니즘은 해당 단체에 알려져 있지 않거나 또는 잠재적인 악재로서 용의주도하게 관리되었다. 원래 – 그리고 지금까지도 – 보수적인 페미니스트 단체인 <전국여성단체>는 스스로를 여성해방보다는 평등권의 측면에서 소개한다. <전국여성단체>는 여

성들이 겪는 불평등 문제라고 보고 있는 것에 대해 급진적인 해결책보다
는 자유주의적인 해결책을 추구해 왔다.

레즈비어니즘이라는 사안은 <전국여성단체>에게는 점점 해결불가
능한 문제가 되어갔는데 레즈비언을 인정해 달라는 요구가 조직 내에서
영향력을 가진 이들에 의해 차단되었기 때문이었다. <전국여성단체>에
대한 불만으로 몇몇 여성들은 단체를 탈퇴했고 여성운동 내 레즈비언
차별— 당시는 '성차별주의'로 묘사되었다— 에 대해 토론하기 위해 회의
를 소집하였다.[8] 이 사건은 '게이 남성들 없이 젊은 급진적 레즈비언들로
이루어진 최초의 회의였다는 점에서, <게이해방운동전위 Gay Liberation
Front>에서 활동해온 여성들이 여성운동에서 활동해온 레즈비언들과 최
초로 만났다는 점에서, 여성운동에서 활동하고 있던 레즈비언들이 최초
로 레즈비언으로서 서로를 만났다는 점에서 역사적'이었다(Abbott and
Love, 1973:113). 그곳에서 레즈비어니즘과 페미니즘의 정치적 연관성을
개괄하는 함께 쓴 입장글이 이성애자 페미니스트 단체들에게 회람되어
야 하고 <제2차 여성연합대회 Second Congress to Unite Women>에서 발표되
어야 한다는 결정이 내려졌다.

이에 따라, 1970년 5월 <제2차 여성연합대회>가 열렸을 때 이 행사는
프리단이 비방조로 붙였던 이름을 새롭게 사용하며 자신들을 '보라색
골칫거리'라고 부르는 스무 명의 여성들에 의해 훼방 당했다. 불이 꺼졌
고 "다시 켜졌을 때 '보라색 골칫거리'라고 쓰인 티셔츠를 입고 있는
스무 명의 여성들이 앞에 서 있었다"(Schneir, 1994:160). 두 시간 동안
이 활동가들은 4백 명의 페미니스트들을 향해 레즈비언으로서 자신들이

여성운동 안에서 겪었던 경험과 여성운동 내 레즈비언차별에 대한 분석에 관해 말하였다. 다음날, <보라색 골칫거리> 회원들은 레즈비어니즘과 동성애혐오에 관해 워크샵을 개최했고 이 단체가 내세운 네 개의 강령은 대회 마지막 회합에서 결의안으로 채택되었다.

> 여성해방은 레즈비언적 기획임을 결의한다.
> 레즈비언이라는 이름표가 운동에 반하여 집단적으로 혹은 여성에 반하여 개별적으로 쓰일 때마다 레즈비언은 긍정되어야 하지 부정되어서는 안 된다는 것을 결의한다.
> 출산조절에 관한 모든 논의에서 동성애는 적법한 피임 방법으로 포함되어야 한다.
> 모든 성교육 안은 레즈비어니즘이 타당하고 적법한 성적 표현이자 사랑의 형태라는 것을 포함해야 한다(Marotta, 1981:244-5 재인용).

이 대회에서는 또한 이후 자신들을 <급진레즈비언Radicalesbian>이라고 다시 이름붙인 <보라색 골칫거리>가 쓴 「여성과 동일시한 여성 *Women -identified women*」이라는 글이 회람되었다. 이 영향력 있는 글은 <화사한 불꽃 Gay Flames>이 팸플릿 형태로 이 글을 찍어내기 전에 그리고 수많은 선집에 이 글이 실리기 전에 대항문화 출판물이었던 『쥐*Rat*』와 『나와 라!*Come Out!*』에 처음 등장했다. 여러 가지 면에서 그 글은 레즈비언 페미니즘의 정치적 입장을 보여주는 전형적 예이다. 제목이 분명하게 보여주고 있듯 그 글은 레즈비어니즘에 대한 관심의 방향을 성적 취향이나 행위로부터 멀리 돌려놓고자 하는데 이는 레즈비어니즘을, 잠재적으로

모든 여성들을 포함하는, 세상에서 살아가는 하나의 존재방식으로 재개
념화하기 위해서였다. 레즈비언들의 경험으로부터 얻어진 이 관점 - '자
아의 해방, 내적 평화, 자신에 대한 그리고 모든 여성들에 대한 진정한
사랑' - 은 <급진레즈비언들>의 말에 의하면 "모든 여성들과 나눠야 하
는 것이다 - 왜냐하면 우리 모두는 여성이기 때문이다"(Schneir, 1994:162
재인용).

「여성과 동일시한 여성」에서 레즈비어니즘은 일종의 성적 분류로서
보다는 정치적 자세로서 쓰인다. '레즈비언은 폭발 지점 직전에 있는
모든 여성들의 분노'(같은 글)인 것이다. <급진레즈비언>의 글은 레즈비
언에 대한 증오가 남성 지배의 효과라고 주장하며 레즈비언을 남성 동성
애자들보다 이성애 여성들과 더 가깝게 만들었다.

> 레즈비언은 하나의 말, 이름표, 여성들을 한 선상에 놓는 조건이다. … 레즈비
> 언은 남성들이 자신들과 동등해지려는 어떤 여성에게든, 자신들의 (모든 여성
> 을 남성들 사이의 교환수단의 일부로 만드는 것을 포함한) 특권에 도전하는
> 어떤 여성에게든, 스스로의 욕구를 우선적으로 주장하는 어떤 여성에게든 덧
> 씌우기 위해 발명한 이름표다.(같은 글: 163)

당연한 귀결로서, 「여성과 동일시한 여성」은 레즈비어니즘을 페미니즘
의 논리적 확장이라고 주장한다. "레즈비어니즘은 여성들과 관계하는
여성이, 여성에 대한 그리고 여성과 함께 여성해방의 핵심에 있으며 문
화 혁명의 토대인 새로운 의식을 창조하는 여성이 으뜸으로 여기는 것이
다"(같은 글: 167). 비록 <전국여성단체>가 레즈비어니즘 사안에 대해

더욱 격변하는 한해를 보내는 동안 분열되어 있었지만 1971년 말에 이를
즈음 "여성과 동일시한 여성"에서 표현된 상당부분을 일련의 결의안에
포함시켜 통과시켰다.

> <전국여성단체>는 레즈비언이 겪는 이중 억압을 인지하고 있음을 결의한다.
> 자신의 인격에 대한 여성의 권리는 자신의 섹슈얼리티를 규정하고 표현할
> 권리와 자신의 생활 형태를 선택할 권리를 포함하고 있음을 결의한다. 그리고
> <전국여성단체>는 레즈비언이 겪는 억압이 적법한 페미니즘 사안이라는 것
> 을 인정하고 있음을 결의한다.(Abbott and Love, 1973:134)

「여성과 동일시한 여성」은 1970년대 레즈비언 페미니스트 조직화의 원
인이고 또한 효과이기도 했다. 그런데 이것은 변화하는 성적 규정 범주
들의 지형을 그리는 작업에서 또 다른 이유로 그만큼 중요하다. 이미
한물 간 용어들을 쓰거나 – '자매들'과 (역자: 인간 표준으로서의) '남자
the Man'라는 말을 언급하고 있음 – 총체성과 자기애를 옹호하는 대중심
리학에 의지했음에도 불구하고 이 글에서 개념화된 상당부분이 레즈비
언 페미니즘의 이론적 토대를 만드는 글들에 지속적으로 영향을 미쳤다.
레즈비언 페미니스트들이 쓴 글 중 상당 부분이 집단적 행동과 지적
이론화라는 한 쌍의 요구에 의거했고 정치적 분석과 문화적 개혁을 위한
전략이 혼합되어 있는 특징을 가졌다.
1980년대에 발달한 레즈비언 페미니스트의 입장은, 엄청난 영향력을 갖
고 자주 인용되고 있는 에드리언 리치Adrienne Rich의 글, 「강제적 이성애

와 레즈비언 현존*Compulsory Heterosexuality and Lesbian Existence*」에 개괄되어
있다. 리치의 글-1978년에 집필되었고 1980년 『기호들*Signs*』에 처음 발
표되었다- 은 논란을 불러왔고 많은 이론적 논의를 형성시켰다(Ann
Ferguson 외, 1981 참조). 그 뒤, 리치는 그 글을 썼던 하나의 동기가
'**레즈비언**과 **페미니스트** 사이의 틈을 연결하는 다리를, 대략이라도, 그
려보는 것'이었다고 말했다(Rich, 1986: 24). 그런 목표가 있었기에 리치
의 글이, 「여성과 동일시한 여성」에서처럼, 여성으로서의 레즈비언의
위치를 중요하게 놓아야 했다는 것이 놀라운 일은 아니다. "만약 레즈비
언 지속체lesbian continuum * 안에 모든 여성들이 존재한다는 가능성을
고려해보면 우리 스스로가 이 지속체 안과 밖으로 움직이고 있다는 것을
알 수 있다. 스스로를 레즈비언이라고 규정하든 그렇지 않든 말이다"(같
은 글: 54). 게다가 리치가 말하고 있는 레즈비어니즘은 젠더 범주들
내에서 가장 잘 이해될 수 있는 것이어서 리치식의 레즈비어니즘은 게이
남성들과의 제휴 가능성으로부터 적극적으로 멀어졌다.

---

* lesbian continuum은 대개 '레즈비언 연속체'로 번역되어 왔다. 여기서의 '연속체' 개념은 아
이리스 매리언 영(Iris Marion Young)이 '여성'을 정의하기 위해 사용한 '연속체(a series)' 개
념과 유사한 측면도 있지만 다른 것이다. 'lesbian continuum' 개념은 개별 여성의 개인사 안
에서 연속적으로 혹은 띄엄띄엄 이어지는 레즈비언적 특징을 나타내는 것이고 영의 'a
series' 개념은 '여성'이라는 범주를 고정되어 있는 정체성이 아닌 어떤 것으로 설명할 수 있
는 실험적인 개념으로 고안된 것이기 때문이다. 상술하면, 영은 '여성'이 공통의 정체성을
나타내는 개념이거나 연속체 안의 모든 개인들이 공유하는 공통된 속성에 의해 규정되는
'하나의 집단'을 가리키는 범주가 아니라고 본다. 대신 '여성'을 행동과 그것의 의미를 조건
화하는 구조적인 제약, 그리고 그 제약을 해소하는 과정에서 만들어진 결과물인 동시에 그
제약을 해소하는 궁극적 목적에 방해물이 되어버리기도 하는 개념이라고 인식하고 이를 설
명하기 위해 '연속체(a series)' 개념을 쓰고 있다(1994: 737, Jagose, 2009:162 재인용). 두 개
념이 갖는 중요한 차이를 명확하게 하기 위해서는 이 둘을 구분해서 번역해 줄 필요가 있어
보인다. 따라서 'lesbian continuum'을 영의 논의와 비교해 연결시키는 맥락에서 '레즈비언 연
속체' 보다는 '레즈비언 지속체'로 번역하는 것이 보다 더 적절해 보인다.

레즈비언이 남성 동성애의 여성 형태로 '포함됨으로써 레즈비언 자체의 정치적 존재성은 역사적으로 박탈당해 왔다. 레즈비언과 남성 동성애자 모두 낙인찍힐 수 있다는 이유 때문에 레즈비언의 존재를 남성 동성애자와 등치시키는 것은 여성의 현실을 다시 한 번 지워버리는 일이다. 레즈비언 존재사의 일부는 레즈비언들이, 일관성을 갖는 여성 공동체 부재로 인해, 동성애자 남성들과 일종의 사회적 삶을 공유하며 공동의 노력을 기울여 왔다는 데에서, 분명하게, 발견된다. 그러나 이들 사이에는 차이가 있다. 남성들에 비해 여성들은 상대적으로 경제적, 문화적인 특권이 없고, 여성들 사이의 관계와 남성들 사이의 관계에는 질적인 차이가 있다. 예를 들어, 남성 동성애자들 사이의 익명적 성행위와 성적으로 매력적일 수 있는 기준에 관해 남성 동성애자들이 공공연하게 드러내는 연령주의 등이 있다. 나는 레즈비언의 경험이, 마치 모성처럼, 완전히 **여성적인**female 경험이며 단순하게 그것을 성적으로 낙인찍힌 다른 존재들과 함께 괄호 쳐 놓는 한 이해될 수가 없는 특정한 억압과 의미, 잠재성을 가지고 있다고 본다.(같은 글:318-19)

이 구절은 레즈비어니즘 이론화에 중요한 변화가 있음을 나타내는 신호이고 이것은 퀴어의 정치적 효능에 대한 논쟁에도 지속적으로 영향을 미친다. 비록 레즈비어니즘을 단순히 한쪽 젠더에 국한된 것으로 설명할 필요를 제기하고 있지는 않지만 레즈비언들에게는 섹슈얼리티가 아니라 젠더가 자기정체성을 규정하는 기본 범주라고 주장하고 있다. 리치가 단순히 섹슈얼리티보다 젠더의 가치를 더 평가하는 것은 아니다. 리치는 젠더를 모든 종류의 억압에 본보기가 되는 범주로 보았다. "어디에서든 남성이 여성에 대해 행사하는 권력은 … 다른 모든 형태의 착취와 불법적인 통제의 본보기가 되어왔다"(같은 글:68). 따라서 (게이 남성들이 아니라) 여성들이 레즈비언들의 자연스러운 정치적 동맹이다. 게이 남성들은, 그들이 남성인 한, 레즈비언 페미니즘이 전복하고자 전념하는 억압적 사회 구조의 부분이다.

리치는 1986년 자신의 글에 단 각주에서 "나는 이제 우리가 레즈비언 존재로서 갖는 특유하게 여성적인 측면과 게이 남성들과 공유하는 복잡한 '게이' 정체성 모두로부터 배울 것이 많이 있다고 생각한다"며 이 주장을 크게 수정한다(같은 글:53). 비록 여기서 리치가 원래의 글에서 강조했던 것을 고치기는 하였지만 레즈비언 페미니즘의 중요한 흐름 중 하나는 게이 남성들이 남성지배구조와 연루되어 있고 따라서 레즈비언의 동맹으로서 이성애자 여성들보다 덜 적합하다고 계속 규정해 왔다. 일례로, 쉴라 제프리스Sheila Jeffreys 는 여성과 레즈비언 간의 연대─페미니즘 자체에 자명하다고 여겨지는 연대─를 강조하면서 레즈비언과 게이 남성 사이에서 이에 비교될 수 있는 동맹은 인정하지 않는다. 젠더에 의한 정체성 범주를 섹슈얼리티에 의한 정체성 범주보다 가치있는 것으로 봄으로써 제프리스는 모든 남성이─게이 남성이 포함되어있다─여성을 억압한다는 광범위하고 젠더 중심적인 주장을 펴기 위해 '남성 우위라는 총체적 체계'를 전면화한다(Jeffreys, 1994:460). 게다가 제프리스는 이런 일반적 억압에서 게이 남성들이 독특하게 강력한 기능을 하고 있다고 지목하는데 "게이 남성들이 대중매체와 패션산업에 관여하면서 남성 지상주의 문화에서 무엇이 여성적인지를 규정하는 데 영향을 미치는 역할을 하고 있다"는 것이다(같은 글:461). 게이 남성을 가부장적 가치의 완벽한 본보기로 재현하는 것은 유감스럽게도 페미니스트 이론에서의 동성애혐오적 역사를 가지고 있다. 예를 들어, 앞서 논의했던 리치의 글에 더해 이리가레이의 글(Irigaray, 1981:107-11)과 프라이(Frye, 1983) 의 글에서도 반복되고 있고 이점을 퍼쓰(Fuss, 1989:45-9)가 비판하기도 하였다. 의미심장하게도 게이 해방주의 사상은 게이 남성들이 어떻게 여성의 억압과 관계되는지에 대한 정반대의 분석을 내놓고 있다. 그에 따르면 게이 남성들은 '남성 우월주의'에 이성애 남성들보다 훨씬 쉽게 맞설 수 있는데 왜냐하면 게이 남성들은 이 체제에 그렇게 완전히 가담 하고 있지 않기 때문이다(Wittman, 1992:332 비교).

권력의 장에서 젠더가 작동하는 방식을 고려할 때 분명히 언급되어야 할 것이 있음에도 제프리스는 젠더에 환원론적으로 초점을 맞춤으로 인해 똑같이 중요한 다른 요소들을 간과한다. 제프리스(1994:468)는 매릴 린 프라이^{Marilyn Frye}의 주장에 동의하고 그것을 차용해 "게이 남성들은 남성 지상주의에 순응하는 이들로 볼 수 있는데 왜냐하면 그들은 이런 정치적 체계 하에서 누구나 사랑해야 할 대상으로 정해져 있는 이들, 즉, 남자들을 사랑하는 것을 선택하기 때문이다. 다른 한편, 레즈비언들 은 경시받는 이들, 즉, 여성들을 사랑하는 것을 선택한다"고 말한다. 제 프리스가 제안하고 있듯 만약 게이 남성들이 성적 대상 선택을 통하여 남성 지상주의에 순응한다면 남성 지상주의에 반하는 이들은 여성을 사랑하는 이들, 이름하여, 레즈비언과 **이성애자 남성들**이라는 말이 된다. 여기서 제프리스는 끈질기게 젠더에 초점을 둠으로써 자신이 주장하고 있는 측면에 반하는 결론을 만들고 있다. 우연하게도 제프리스는 "동성 관계에 대한 긴밀하고 잘 짜인 분석을 우선 젠더 차이라는 거친 흔적에

대한 보정된 시각을 통해 할 수 있다고 기대하는 것은 비현실적이다'라
고 지적하는 세즈윅(1990:32)의 주장을 입증하고 있다.

'레즈비언 페미니즘과 게이 권리 운동: 남성 우월의식에 대한 또 다른
시각, 또 다른 분리주의Lesbian Feminism and the Gay Rights Movement: Another
View of Male Supremacy, Another Separatism'라는 매릴린 프라이의 글 제목조차
도 레즈비언들과 이성애 여성들 사이의 친연성과 게이 남성들과 레즈비
언들 사이의 반감 모두를 간결하게 제시한다. 프라이(1983:129)는 '게이
남성들과 여성들이 각각 성/젠더 체제를 이해하는 지배적인 관점에서
서로 다르면서도 동등하게 주변화되어 있기 때문에 한편에서는 게이
남성들과 다른 한편에서는 여성들 – 레즈비언이고/이거나 페미니스트
– 사이에 문화적, 정치적 친연성'이 있다고 상정하는 경향이 있다고 본
다. 프라이는 광범위하게 받아들여지고 있는 이런 가정을 다음과 같은
주장을 통해 반박한다.

> 남성 우월주의적 사회와 문화에 있는 몇몇 원리와 가치들을 보면 즉각 게이
> 남성권리운동과 게이 남성문화가, 공식적인 선언문들에서 알 수 있게 되듯이,
> 많은 핵심 지점들에서 남근통치phallocracy와 모순되기보다는 상당히 서로 맞
> 아떨어지고 있고, 결국 레즈비언들이 헌신하고 있는 여성들과 여성을 사랑하
> 는 이들에 매우 적대적임이 드러난다(같은 글: 130).

프라이에 따르면, 영원히 깨지지 않는 남성성이라는 유대감으로 이성애
자 남성들과 동성애자 남성들을 연결하는 이 '원리와 가치들'은 남성
시민권에 대한 전념, 동성–에로티시즘, 여성 혐오, 그리고 강제적 남성

이성애를 포함한다. 프라이는 리치나 제프리스보다 더 강하게 나아가 그것이 남근통치 문화와 게이 해방운동 사이의 친연성이라고 간주한다. 그러나 이로써 프라이는 결국 게이 남성들은 이성애자 남성들과 결코 그저 같은 것이 아니라 "대체로 게이 남성들이 눈에 띄게, 아마도 중요한 방식으로, 남성성과 남성 우월의식을 다른 남성들보다 더 열렬히 옹호한다"는 결론을 내리고 만다(같은 글: 132).

　이성애적 교환을 가능하게 만드는 남성 결속이 동성애를 유지시키는 남성 결속과 다른 종류가 아니라 그 정도에 있어서 다를 뿐이라고 주장한 레즈비언 페미니스트 이론가는 프라이가 처음도 아니고 또 마지막도 아니다. 그렇지만 게이 남성들과 이성애자 남성들이 똑같이 '강제적 남성 이성애'에 복무한다는 프라이의 반직관적인 주장은 자세히 들여다볼 가치가 있는데 왜냐하면 이것이 프라이가 주장하고 있는 것들 중에서 아마 더 색다르고 가장 극단적인 형태일 수 있는 것이기 때문이다. 이성애적 문화와 게이 문화가 남자를 사랑하고 여자를 혐오한다는 측면에서 통일되어 있다는 생각을 구축하면서 – 프라이로서는 만족스럽겠지만 – 프라이(같은 글: 140)는 강제적 남성 이성애의 원리를 다음과 같이 서술하고 있다. "남성이 여성에게 삽입fuck 하는 것은 남성 우월의식 유지에 매우, 상당히, 중요하다. 그렇기 때문에 그것이 요구되고 또 강제적 의무가 된 것이다. 그것을 하는 것은 의무를 다하는 것이기도 하고 또한 연대를 표출하는 것이기도 하다."

　게이 해방운동 담론은 이 요구에 반대하는 것으로 보이거나 적어도 불충실해 보일 수 있다. 그렇지만 게이 남성들이 이런 측면에서의 '[자신의] 의무를 이행하는 것'에 대체로 관심이 없다는 것을 인정하면서도 프라이는 그것은 오직 게이 남성들 안에 여성에 대한 혐오가 과대하게 자라있기 때문이라고 주장한다.

> 많은 경우에서 [게이 남성들은] 자신의 의무를 이행하는 것을 기꺼워하지 않는데 이는 단지 여성을 혐오해야 한다는 것을 너무 잘 배웠기 때문이다. 이들이 이런 식의 남성다움을 발휘하기를 꺼리는 것은 오직 불균형 때문인데, 이 불균형은 필수적인 여성혐오가 구체적 형태를 띠고 이것이 남성다움에 요구되는 다른 요소와 긴장관계에 놓이는 정도에 따라 생겨난다(같은 글).

이 분석에는 명백한 문제들이 있는데 여성과 성행위를 하고 싶은 욕망과 그에 대한 혐오감 모두를 여성에 대한 동일한 기본적 경멸의 증거로서 다루고 있기 때문이다. 더 나아가, 프라이가 게이와 이성애 남성들 사이의 '연대'라고 판단하고 있는 것을 두 집단은 대체로 인정하지 않는다. "왜 이성애 남성들이 자신의 게이 형제들을 인정하지 않는지는 수수께끼가 되고 있다"(같은 글:130)라며 지나는 말로 언급하면서 프라이도 이 문제─해결책을 제시하고 있지 않은 문제─에 부분적으로는 주목하고 있다. 억압을 구조화하는 데 있어서 젠더가 가장 으뜸역할을 한다는 프라이의 주장은 레즈비언 페미니즘이 추구하는 것과 게이 해방운동이 상호 약분될 것이 없는 것으로 보이게 만든다. 프라이는 "페미니스트 레즈비언과 게이 시민권 운동 사이에 자연스러운 친연성이 있다는 것과 동떨어지게 나는 거의 모든 점에서 이들의 정치가 서로에게 직접적으로 반대된다고 본다"고 말하고 있다(같은 글:145). 이런 가정은 많은 논쟁을 불러일으켰다. 이런 가정이 레즈비언 페미니즘의 필수적 특징은 결코 아니지만 성적 식별sexual identification 을 둘러싼 재현 투쟁 representational struggle 에 지속적으로 영향을 미친다. 물론, '강제적 이성애' 또한 그 문구를 고안해 낸 리치에게 핵심적인 관념이다. 그렇지만, 프라이와 달리 리치는 이 규범 질서의 효과를 주로 여성과 관련된 것으로 보면서 이성애를 모든 여성에게 불리하게 체계적으로 작동하는 '**정치적 제도**'로 규정하고 있다(Rich, 1986: 313). 이 점에서 리치는 "남성들의 용인이 - 개별 여성과 운동 전체에 모두 - 가장 중요한 한 '레즈비언'이라는 말은 효과적으로 여성에게 불리하게 활용될 것이다"(Schneir, 1994:165)라는 자신의 주장(이전에 「여성과 동일시한 여성」에서 취했던 주장)을 확장시키고 있다. 리치에게 이성애는 '성적 선호sexual preference'와 같은 말이 함의하듯 단순히 의지와 결단에 있어서의 개인적 선택 문제가 아니다. 리치는 이성애를 자본주의, 인종차별주의와 비교하면서 근본적인 권력 불균형을 따라 종횡무진 구조화되어 있는 것으로 표현한다. "이성애를 하나의 제도로서 고찰하는 데 실패하는 것은 자본주의라고 불리는 경제 체제나 인종차별주의인 카스트 제도가 다양한 힘에 의해 유지되고 있고 그 힘은 신체적 폭력과 허위의식 모두를 포함하고 있다는 것을 인정하지 못하고 실패하는 것과 같다"(Rich, 1986:51)고 말이다. 리치는 이성애의 자연화와 레즈비어니즘의 병리화 모두가 이성애적 남성성에 특권을 부여하는 방식에 관심을 돌리게 한다.

'필수적인 여성 이성애compulsory female heterosexuality 라는 거짓말'을 밝혀내면서 리치는 그것을 원상태로 돌려놓기를 기대한다(같은 글:61). 페미니스트 분석과 헌신을 통해 쓰일 때 레즈비어니즘– '가부장제를 거부하는 형식, 저항 행동'(같은 글:52) – 은 이성애의 이데올로기성을 입증함으로써 이성애가 자연적인 것이 아니라는 것을 드러낸다.

> 제도화된 이성애에도 불구하고 여자 애인을 선택하거나 인생 파트너로 여자를 선택하는 행동에는 초기 페미니스트 정치의 내용이 들어있다고 말할 수 있다. 그러나 레즈비언의 실재가 이러한 정치적 내용을 궁극적으로 해방적인 형태로 현실화하기 위해서는 에로틱한 대상의 선택이 의식적인 여성 동일시–레즈비언 페미니즘으로 깊어지고 넓어져야만 한다.(같은 글:66)

레즈비어니즘 자체가 반드시 급진적인 것은 아니라고 조심스럽게 지적하면서도 리치는 레즈비어니즘이 페미니즘에 급진적 변혁의 모델, 페미니즘의 핵심에 있는, 당시 주요한 것으로 여겨지고 있었던 모순을 짚어내고 해소하는 모델을 제공하고 있다고 말한다.

리치의 글은 젠더 범주들을 자연적인 것으로 만듦으로써 이성애를 비자연적인 것으로 만든다. 반면, 모니크 위티그Monique Wittig의 글은 이성애 헤게모니에 똑같이 도전하고 있으나 리치의 분석을 보증하는 젠더에 대한 전제를 불안정한 것으로 만든다. 이러한 점에서 위티그의 작업은 젠더–또는, <급진레즈비언>이 '성역할'이라고 말하는–와 섹슈얼리티 사이의 관계에 대해 <급진레즈비언>이 제시하는 개략적 설명을 확장한다.

> 레즈비어니즘은, 남성 동성애처럼, 오직 엄격한 성역할을 특징으로 하는 남성

우월의식에 의해 지배되는 성차별적 사회에서나 가능한 행동 범주다. … 동성애는 성^{sex}에 기초한 역할들 (또는 승인된 행동 유형들)을 특정한 방식으로 정해놓음으로써 생겨난 부산물이다. 그런 탓에 동성애란 진짜가 아닌 ('현실'에 일치하지 않는) 범주다. 남성이 여성을 억압하지 않는 사회에서, 그리고 느끼는 대로 성적 표현을 할 수 있도록 허용되는 사회에서는 동성애와 이성애라는 범주가 사라질 것이다(Schneir, 1994: 162-3).

「여성과 동일시한 여성」이라는 글은 젠더가 이성애와 동성애를 동등하게 뒷받침한다고 가정하며, 성역할의 해체가 유토피아적 양성애의 형태를 띤 다형도착$^{polymorphous\ perversity}$으로 이어질 것임을 암시한다. 이 입장은 초기 게이 해방운동의 입장과 유사하다. 리치는 게이 해방주의자들과 레즈비언 페미니스트들의 미래에 대한 상상을 똑같이 무시한다. 또한, '남성들이 억압적이지 않고 돌봄을 실천하는 진정한 평등 세상에서는 모든 이들이 양성애적일 것이라는 자주 듣게 되는 주장'에 맞서 '그것은 지금 그리고 여기에서의 할 일과 투쟁들, 그 자체의 가능성과 선택을 만들 계속되는 성적 규정의 과정을 가로지르는 자유주의적 비약'이라고 비판하고 있다(Rich, 1986: 34, 35).

그렇지만, 위티그에 따르면 젠더 범주는 이성애 유지에 전부 연루되어 있다. 이것이 왜 위티그가 레즈비어니즘을 전적으로 젠더의 장 외부에 두는지의 이유다. 젠더 범주를 받아들일 때─심지어 그것을 비판하기 위한 것이라 하더라도─ "우리는 우리가 겪는 억압을 나타내는 사회 현상을 자연적인 것으로 만들고 변화가 불가능하도록 만든다'(Wittig, 1992:11). 젠더가 억압의 원인이 아니라 억압의 효과라는 것을 인식하는 것은

" '여성'이란 오직 이성애적 사고 체계와 이성애적 경제 체계 안에서 의미를 갖는다는 것을 인식하는 것이다"(같은 글: 32). 위티그는 따라서 레즈비어니즘을 젠더 범주를 의기양양하게 능가하는 것으로 나타낸다.

'여성'을 파괴하는 것이 곧 우리가 성[sex] 범주들과 함께 동시에 레즈비어니즘을 파괴하는 것을 목표로 한다는 의미는 아니다. … 레즈비언은 성(여성과 남성) 범주를 넘어서는 내가 알고 있는 단 하나의 개념이다. 왜냐하면 해당 주체(레즈비언)는 경제적으로도, 정치적으로도, 또는 이데올로기적으로도 여성이 **아니**기 때문이다(같은 글:20).

여기서 오직 레즈비언들만이 초월적 위치를 향유한다. 그러나 이전의 글에서 위티그는 게이 남성들도 젠더 범주와의 관계에서 이와 유사한 위치에 있음을 암시하였다. "만약, 레즈비언들과 게이 남성들로서, 우리가 계속 자신을 여성으로서 그리고 남성으로서 생각하고 말한다면 그렇게 함으로써 우리는 이성애를 유지시키는 도구가 된다"고 말이다(같은 글: 30). 비록 위티그가 쓰는 말들이 <급진레즈비언들>, 리치와 프라이가 쓰는 것과 닮았지만 위티그는 현저하게 다른 주장을 발전시킨다. 위티그의 '레즈비언' 실체화는 이후 이론가들의 비판을 받았는데 이들은 위티그가 주장하는 내용 그대로에서조차 레즈비언 범주에 대한 유토피아적 찬양이 설득력을 갖지 못한다고 본다(Butler, 1990:120-2; Fuss, 1989:43 비교). 그럼에도 불구하고, 성적 정체성들에 대한 최근의 이론작업은 담론의 구성 권력에 대한 위티그의 강조, '여성' 범주가–'남성' 범주처럼–토대적 진실이 아니라 '오직 상상의 형성물'(Wittig, 1992:15)

일 뿐이라는 그녀의 주장, 그리고 레즈비언과 게이 남성을 유사한 위치에 놓인 주체들로 보는 점 등을 받아들이고 있다.

금욕주의적인 동시에 관례적인 하나의 일관된 운동으로서 자주 재현되는 레즈비언 페미니즘은 사실 다양한 범위의, 때로는 모순된 정치적 그리고 이론적 입장을 말하고 있다. 심지어 레즈비언 페미니스트 이론에 대한 간략한 설명도 레즈비언 페미니스트 이론이 젠더를 통해 섹슈얼리티를 재구성하는 것이 반드시 동일한 혹은 양립가능한 분석을 생산하는 것은 아님을 보여준다. 레즈비언 페미니즘과 퀴어가 상반된 정치적 동기를 가졌다고 흔히 말해지기는 하지만(Jeffreys, 1993; Wolfe and Penelope, 1993) 젠더가 어떻게 이성애를 규범적인 것으로 허용하는 기능을 하는지를 보여주는 최근 가장 정곡을 찌르는 몇몇 퀴어 이론은 초기 레즈비언 페미니스트 이론에서 유래한 것이다. 이 점은 로즈메리 헤너씨Rosemary Hennessy(1994:93)가 1970년대 레즈비언 페미니즘과 1990년대 퀴어 이론 사이의 연관성이 대체로 부인되어 온 방식에 이의를 제기하면서 제시되었다.

거의 20여 년 전, 서구 레즈비언 페미니스트들- 그 중에는 샬로떼 번치 Charlotte Bunch, 『복수의 세 여신들The Furies』, 『자줏빛 9월의 일꾼들The Purple September Staff』*, 그리고 모니크 위티그가 있다- 은 이성애에 대한 비판을

---

* 1975년, 네델란드의 <The Purple September Staff>는 이성애 규범성이 권력을 지속시키는 기구라고 규정하였다. 레즈비언 페미니스트들과 퀴어 이론가들 모두 이성애의 강제적 성질을 언급하지만 1990년대 퀴어 이론이 위반과 일탈에 중점을 두고 있는 반면 레즈비언 페미니스트들은 구조적 분석에 중점을 두고 있다. 레즈비언 페미니스트들은 이성애 남성이 매춘여성의 성 서비스를 구매하는 것을 일종의 규범적 이성애로 보는 반면 퀴어 이론가들은 이를 위반/진보적인 것으로 보기도 한다(Code, Lorraine (ed.), 2000, Encyclopedia of feminist

공식적으로 요구하였다. 그들은 페미니즘이, 문화주의적 페미니스트 사이에서 논의되고 있던 레즈비어니즘을 포함하여, 이성애의 규범적 지위에 대한 광범위한 유물론적 비판을 회피하기 위해 섹슈얼리티를 개인적 문제 또는 시민권 문제로 다루었다고 주장했다. … 이에 대한 지식은 내게 포스트모던 유물론적 퀴어 이론을 발전시킬 풍부하고 급진적인 전통을 제공하고 있는 것으로 보인다.

연합 정치와 성적 신분을 강조하는 퀴어 이론의 친연성은 섹슈얼리티를 젠더의 부산물로 보지 않는 레즈비언 페미니즘 류와 분명히 관계되어 있다. 퀴어는 또한, 세 가지 중요한 점에서 레즈비언 페미니즘이 제시하는 것을 생산적으로 받아들인다. 즉, 젠더의 특수성에 대한 관심, 섹슈얼리티를 개인적인 것으로가 아니라 제도적인 것으로 틀짓기, 그리고 강제적 이성애에 대한 비판이 그것이다.

theories. London and New York: Routledge, p. 246.

6. 정체성의 한계들
Limits of Identity

동성애 옹호운동은 이후 결국 보여지게 된 것들보다는 훨씬 급진적인 원칙들을 가지고 시작했었다. 이와 유사하게 레즈비언과 게이 해방운동 모두 매우 문화적으로 그리고 구체화된 사회운동으로 발전하였고 이후 그들이 대변했던 교리와 가치들이 패권적으로 보이게 되면서 이번에는 보다 더 주변화된 집단들의 저항을 받게 되었다는 것을 잘 보여준다. 처음에 게이 해방운동과 레즈비언 페미니즘은 대대적인 성 혁명을 주장 하였다. 그러다 점점 자신들의 운동을 주변화된 소수자 집단들의 평등을 보장하는 시민권 운동으로 굳혀갔다. 그에 대해 알트만(Altman, 1982: 211)은 다음과 같이 적고 있다.

십여 년 전의 게이 해방운동이 대부분의 그 이전 운동들과 자신을 차별화했던 방식 중 하나는 오직 급진적 사회변화만이 동성애가 진정한 의미에서 수용될 수 있도록 만들 것이라고 주장한 데 있었다. 지난 십여 년 동안 게이 해방운동 이 추진해온 것은 이런 관점으로부터 떨어져 오직 새로운 소수자들에게 시민권을 보장하는 데에만 개입하는 쪽으로 점점 멀어져 갔다.

레즈비언과 게이 활동가들 모두 한때 성/젠더 체계sex/gender system의 급
진적 재구성에 초점을 두어 왔던 것에서 이제는 동성 대상 선택이라는
측면에서 규정되는 동성애자 인구집단을 위한 평등보장에 점점 더 집중
하고 있다. 디밀리오(D'Emilio, 1992a:xxvi)에 따르면, "1970년대 중반이
되면 '성적 지향'과 '게이 소수자' 같은 용어들이 운동 어휘목록 안에
들어오게 된다." 이 운동들을 회고하는 설명을 보면 게이 해방운동과
레즈비언 페미니즘이 대항 정치에서 동화주의 정치로 미끄러져 보수화
되면서 급진적 각을 잃어버렸음을 볼 수 있다. 왜 이 운동들의 전략이
변했고 지배적 문화제도에 대한 그들의 입장이 어떻게 이동했는지 생각
해 보는 것은 분명 도움이 된다. 그럼에도 그러한 것들이 단순히 퇴보의
서사로 설명될 수는 없다. 게이 해방운동과 레즈비언 페미니즘이 결국
사회적 압력과 순응이 주는 보상에 굴복했다고 가정하는 대신 이 운동들
이 사회 개혁에 대한 개념들이 변화하는 동안 그 변화 안에서 작동했다
고 생각할 수도 있다.

스티븐 세이드만 Steven Seidman 은 새로운 사회 운동들이 해방주의에
서 소수민족 정체성과 같은 게이 정체성 모델로 역사적 이동을 해 온
지형도를 그리면서 이 관점에서 자신의 주장을 펴고 있다. 세이드만
(Seidman, 1993:110)은 초기 게이 운동과 레즈비언 페미니스트 운동은
해방이라는 측면에서 자신들의 운동을 내세웠다고 말한다. "해방주의
이론은 선천적으로 다형적이고 중성적인 인간 본성이라는 관념을 상정

하고 있었다. 해방주의 정치는 개인들을 동성/이성 그리고 여성적/남성적이라는 상호 배타적 역할 안에 가둬놓았던 성/젠더 체계의 제약들로부터 개인들을 자유롭게 하는 것이 목표였다." 그렇지만 1970년대 말이 되었을 때 이러한 해방주의적 틀은 공동체 정체성과 문화적 차이를 강조했던 소수민족 모델을 점점 선호하게 되었던 게이 운동과 레즈비언 운동 모두에서 이전 보다 덜 중요해졌다.

> 남성 중심적 게이 문화의 지배적 의제는 폭넓게 구상된 성 해방과 젠더 해방에서부터 공동체 건설과 시민권 획득으로 변해갔다. 게이 남성 공동체 안에서의 민족모델 정체성과 정치의 발흥은 레즈비언 페미니스트 문화에서도 특유의 여성적 가치와 여성문화 건설에 대한 강조와 함께 동시에 일어났다.(같은 글:117)

게이 해방운동은 섹스와 젠더의 분류가 근절된 후에야 게이 해방이 보장 될 것이라고 주장하면서 사회적 가치의 급진적 변혁을 옹호했다. 서로 다른 가치체계와 사회변혁의제를 지지했던 레즈비언 페미니즘도 여성 주체들을 위한 주장에서는 게이 해방운동만큼 해방주의적이었다.

> 어떤 여성이든 레즈비언일 수 있다. 그것은 혁명적인 정치적 선택이고 만약 수백만 명의 여성들이 이를 선택하게 된다면 남성들이 여성들의 이타적, 무보수적, 가정적, 성적, 재생산적, 경제적, 감정적 서비스를 누리는 권력의 토대를 잃게 만들어 남성우월의식을 흔들어 놓게 될 것이다... 그것은 남성주류문화에 맞선 새로운 섹슈얼리티, 새로운 윤리, 새로운 문화를 구성할 수 있는 대안적

세계일 것이다(Jeffereys, 1993: ix).

서로 간의 차이들에도 불구하고, 게이 남성들과 레즈비언 페미니스트들이 지향하는 해방 모델 모두 동성 간 성적 실천을 적법한 것으로 재현함으로써 억압적인 사회 구조를 변혁하려는 목적을 가진다. 각각 젠더와 섹슈얼리티의 유연성을 강조하면서 섹슈얼리티를 구성주의적인 관점에서 이해한다. 이점을 주목할 가치가 있는데 왜냐하면 게이 해방운동과 레즈비언 페미니즘이 취하는 입장이 너무나 자주 다짜고짜 본질주의적인 것으로 취급되고는 하기 때문이다. 더글라스 크림프 Douglas Crimp(1993:314)는 그 관점을 반박한다. "우리는 게이였다. 그리고 게이 다음 위에서 정치적 운동을 만들어 왔다. 그러나 정말 그러했나? 게이 정체성을–동성애적 혹은 동성애 옹호적 정체성이 아니라–선언할 수 있도록 만든 것은 오히려 어떤 창발하고 있던 다른 정치적 운동이 아니었던가?"

해방주의적 강조에서 민족 모델 정체성에 대한 강조로의 이동은 다음의 측면들에서 설명될 수 있다. 이는 부분적으로는 '인간의 자유를 제약하는 규범 구조들로부터 자유로운 해방된 인간이라는 천년 왕국에 대한 관념'으로 유지되었던 거대 규모의 해방주의 프로젝트에 대한 일반적 환멸이다. 그리고 부분적으로는 권력전략과 이에 따른 저항전략이 운용되는 방식을 점진적으로 재평가한 결과다(Seidman, 1993:116). 레즈비언과 게이 남성들은 점점 더 지역적 투쟁의 장으로 관심을 돌렸고 사회구조 전체의 변혁보다 구체적 사안의 변화에 더 집중했다. 전략 혹은 우선순위에 있어서의 이러한 전환은 종종 정치적 열정을 축소시키는 것으로, 지배적 사회질서라는 헤게모니 체제에 대한 저항이라기보다는 투항인 것으로 비판받았다. 그 결과 우르바쉬 바이드^{Urvashi Vaid}(1995)는 해방과 정당화라는 모순된 욕구가 현대 레즈비언 운동과 게이 운동을 가로막고 있는 것으로 규정한다. 바바라 스미스 ^{Barbara Smith} 는 레즈비언과 게이 정치가 야망이 작아졌을 뿐만 아니라 한때 급진적 사회 비평이었던 것이 비뚤어져버린 것이라고 주장하기 위해 1970년대 중반의 해방주의 논리를 소환하면서 '혁명은 어디에 있는가?'라고 묻는다.

> 레즈비언과 게이 남성을 포함해 억압받고 있는 어떤 민중도 이 체제 하에서 자유를 쟁취하는 것은 결코 가능하지 않다. … 어느 누구도 제정신이라면 기존에 구축된 질서 중 어느 것도 원하지 않을 것이다. 삶을 시작하는 것을 이토록 어렵게 만들고 있는 것은 체제─백인 우월주의적, 여성 혐오적, 자본주의적, 동성애 혐오적 체제다. 우리는 전적으로 새로운 것을 원했다. 우리의 운동은 레즈비언과 게이 **해방운동**이라고 불리었고 우리 중 많은 이들, 특히, 여성과 유색인들은 **혁명**을 위해 일했다(Smith, 1993:13).

해방주의적 모델에 따르면, 기존의 사회 질서는 근본적으로 부패하며 어떤 정치적 행동의 성공이든 그 체제를 때려 부수는 정도에 따라 평가되어야 한다. 그와 대조적으로, 민족집단 모델은 적법한 소수자 집단으로서의 게이 정체성을 구축하여 그에 대한 공식적인 인정을 통해 레즈비언과 게이 남성 주체들에게 시민권을 보장하도록 하는 데에 전념했다.

하나의 소수민족집단과 유사하게—즉, 모든 이들을 위한 급진적 잠재
성으로서보다는 규정가능한 별개의 인구집단으로서—구성된 레즈비언
과 게이는 현존 사회 체제 안에서 인정과 동등한 권리를 요구할 수 있다.
'동등하지만 다른equal but different'이라는 시민권 운동의 논리를 이용한
소수민족집단 모델은 게이, 레즈비언 주체에게 동등한 혹은 확장된 법적
보호를 보장하는 전략적 방법으로 여겨졌고 가시적이고 상품화된 레즈
비언과 게이들의 도시 공동체를 구축하고 '게이'와 '레즈비언'을 분류범
주로서 정당화했다. 세이드만(Seidman, 1994:172)에 따르면 "1970년대 말
이 되었을 때 게이와 레즈비언 운동은 하나의 하위문화가 되어 일반적인
사회적 허용을 획득하는 수준까지 이루어 냈고 문화적, 사회적 주류화
정치는 방어적 전략과 … 이전의 십년동안 이루어진 혁명 정치 모두를
무색하게 만들 정도였다." 민족집단적 모델은 그 자체로서 성공적이었
고 이는 게이와 레즈비언 정체성이 여전히 현저하게 그러한 규정 하에서
조직되고 있는 것에서 찾아 볼 수 있다. 그럼에도 그것의 성공을 가능하
게 만들었던 바로 그 결정적 요소들은 또한 통일된 게이와 레즈비언
정체성을 구성하는 데에 뒷받침이 되었던 가정들에 대해 상당한 수준의
돌이킬 수 없는 불만을 만들어냈다.

안정화—혹은 고정화—과정은 레즈비언과 게이들을 레즈비언과 게
이라는 집단적 정체성에 의해 통일된 하나의 일관된 공동체로 보일 수
있도록 만들었다. 그렇지만, 바로 그 과정은 모든 레즈비언과 게이 구역
들에서 어떤 위치를 가질 수 있을 것이라 합리적으로 기대해 왔던 주체
들 또는 이전의 해방주의적 모델이 자신을 더 잘 대변했다고 느꼈던

이들의 권리를 박탈했다. 알렌 스테인**Arlene Stein**(1991:44)은 "초기 레즈비언 페미니즘이 정체성 범주들의 유동성과 자기규정의 중요성을 강조했다면 시간이 흐름에 따라 규정은 편협해져 이제 레즈비언은 남자와 자지 않고 레즈비언이라는 표식을 받아들인 생물학적 여성들이다"라고 쓰고 있다.[8]

지배적인 소수민족집단 모델이 레즈비언과 게이 주체들을 하나의 주류집단— 비록 소수이지만— 이 되게 만든 역사적인 순간에 중심화와 주변화 과정은 되풀이되었고 이에 새롭게 불만을 품게 된 집단들은 단일한 혹은 통일된 게이 정체성이라는 관념을 반대하거나 비판했다. 레즈비언과 게이 정체성에 의해 통합된 소수민족집단적 모델로부터 소외당한 이들은 단순히 그것에 포함시켜 줄 것을 요구하지 않았을 뿐만 아니라 무엇보다 먼저 특정한 (보편적이라 여겨지지만) 정체성을 중심화해 온 근본적 원리들을 비판했다. '보라색 골칫거리' 논란을 환기시키면서 게일 루빈**Gayle Rubin**(1981)은 가피학성애**SM** 옹호적인 자신의 글에『가죽 골칫거리*The Leather Menace*』라는 제목을 붙이고 규범적 정체성 범주들을 유지하는 데 있어서 레즈비언 페미니스트들은 제2물결 페미니스트들만큼의 과실이 있음을 넌지시 내비쳤다. 소수민족집단 모델로서의 게이 정체성의 성공은 대체로 지배 문화 안에서 게이 남성 정체성과 레즈비언 정체성을 적법한 것으로 만든 정도에 따라 가능되기 때문에 보다 더 주변화된 집단들로부터 제기되는 권위에 대한 도전을 흡수하거나 통제하는 데 어려움이 있었다. 스테인(Stein, 1991:45)은, 특히 레즈비언의 맥락에서, 문제는 "경계 만들기가 일어났다는 것— 정체성에 토대를 둔 모든 운동이 그렇듯— 이 아니라 진정성과 포함이라는 관념에 뿌리를 둔 운동 담론이 완전히 그것과 정반대로 움직였다는 것이었다."

　역설적이게도, 인종기반 정치에 기원을 두었음에도 소수민족집단 모델의 게이와 레즈비언 주체들은 백인이었다. 그것은 단순히 소수민족집단 모델에서 그려지고 있는 레즈비언, 게이 공동체가 대부분 백인 위주가 되었다는 것이 아니었다. 그보다, 공동체를 단일한 규정 요소— 성적 지향— 에 의해 조직된 것으로 설명하면서 소수민족집단 모델은 인종을 그저 하나의 대단치 않은 혹은, 최대한 보더라도, 부가적인 분류 범주로만 이론화할 수가 있었다. 유색인 레즈비언들과 게이 남성들은 자신이 소속된 민족 공동체나 인종 공동체보다 백인 레즈비언, 게이들과 더 많은 것들을 공유하고 있다는 가정에 대해 불만스러웠고 주류 게이 공동체 내의 은밀한 그리고 공공연한 인종주의를 비판하기 시작했다(Jagose, 1994:14-16 비교). 1980년대에 출판된 선집들—『나의 등이라 불리는 다리: 급진적 유색인 여성들의 글*This Bridge Called My Back: Writings By Radical Women of Color*』(Moraga and Anzaldúa, 1983),『두 배의 축복: 레즈비언, 게이 그리고 유대인으로 사는 것에 대해*Twice Blessed: On Being Lesbian, Gay and Jewish*』(Balka and Rose, 1989), 그리고『생애 가운데*In the Life*』(Beam, 1986)— 은 인종 정체성과 성적 정체성의 맞물림에 초점을 맞추었다. 각각 다른 방식으로, 이 글들과 이와 유사한 글들은 일원화된 레즈비언, 게이 주체 관념을 비판한다. 이 글들은 인종차별문제를 레즈비언과 게이들이 전혀 관여할 문제로 보지 않으려는 무관심이나 또는 인종차별문제를 인종이 아니라면 똑같을 수도 있었을 섹슈얼리티에 하나의 변수 정도로 두는 것에 반대한다. 레즈비언과 게이 공동체의 최근 합병에 공통성과 연대감이 내재하고 있다는 생각은 인종이 집단 소속감과 개인의 신분 증명, 정치적 전략 등에서 적어도 섹슈얼리티만큼 중요하다는 주장에 의해 심각하게 도전받았다.

점점 더 조직적으로 재구성되어 표현되는 유색인 레즈비언과 게이 남성의 정체성은 단일한 게이 정체성이라는 관념을 불안정하게 만들었다. 소수민족집단 모델에 기반을 둔 게이 정체성의 핵심을 구조화하는 가정들도 비규범적 섹슈얼리티들에 의해 마찬가지로 도전받고 비판받았다. 소수민족집단 모델은 섹슈얼리티에 대한 지배적 인식을 무비판적으로 받아들였고 성적 장을 이성애와 동성애라는 이항대립을 통해 이해하였다. 그 말은, 소수민족집단 모델이 성적 지향은 원칙적으로 혹은 심지어 순전히 성적 대상의 젠더에 의해 결정된다는 것을 자명하고 논리적이라 가정했다는 말이다. 세즈윅(1990:8)은 이러한 분류체계를 자연적인 것처럼 만드는 것에 반대하며 다음과 같이 주장한다.

> 한 개인의 생식기적 활동과 또 다른 개인의 그것을 구별할 수 있는 아주 많은 측면들 (특정한 행동, 특정한 부위 혹은 감각, 특정한 신체 유형, 특정한 빈도, 특정한 상징, 특정한 연령 관계 또는 권력관계, 특정한 종species, 특정한 참여 인원수 등을 포함하는 측면들) 중에서 정확히 단 하나, 선택대상의 젠더가 세기 전환기에 생겨나 지속적으로 이제 '성적 지향'이라고 하는 범주를 의미하는 유일한 측면이 되었다는 것은 다소 놀라운 사실이다.(1990:8)

비록 소수민족집단 모델의 게이 정체성에 의해 자신들이 더 병리화되었다고 생각하는 소수의 비규범적 섹슈얼리티 지지자들이 그 점을 분명하게 주장하였지만 1970년대 말과 1980년대 초기 레즈비언, 게이 진영에서 있었던 양성애, 가-피학성애sado-masochism, 포르노그래피, 부치/펨butch/fem, 복장전환transvestism, 매매춘prostitution, 그리고 세대 간 성 등에 대한 논쟁은 암암리에 '이성애'와 '동성애'의 헤게모니적 이항대립주의에 질문을 던졌다.

성적 편차의 타당성에 대한 이러한 논쟁들은 게이 진영과 레즈비언 페미니스트 진영에서 서로 다르게 이루어졌는데 각각 이미 근본적으로 다른 방식으로 섹슈얼리티를 구성해냈던 것이다. 게이 진영의 논쟁과 레즈비언 페미니스트 논쟁은 서로에게 유용한 정보를 제공했다. 그럼에도 게이 해방운동과 레즈비언 페미니즘이 가진 서로 다른 원칙과 가치들은 섹슈얼리티에 대해 뚜렷하게 다른 인식들을 만들어 냈다. 이 논의들은— 당시 너무 격렬했던 나머지 '성 전쟁sex wars'이라 불렸다— 레즈비언 페미니스트 진영에 큰 영향을 끼쳤는데 이 진영에서는 대체로 레즈비언 섹슈얼리티가 남성적 섹슈얼리티에 대한 하나의 대항으로서 이론화되어 왔고, 남성적 섹슈얼리티는 페미니스트 분석에서 압도적으로 억압적이고 상대를 대상화하는 것으로 재현되어 왔다. 최근에서야 레즈비언 섹슈얼리티가 페미니스트적인 것으로 인정받게 된 어떤 진영들에서는 레즈비어니즘이 페미니스트적 섹슈얼리티의 전형이라고 선언되었다. 권력 차이로 인해 문제되지 않는 평등한 섹슈얼리티로 이론화된— 그리고 육체적인 성행위에 대한 것인 만큼이나 정치적 선택과 정서적 선호에 대한 것이라고 가정된— 레즈비어니즘은 정의상으로는 거의 남성적 섹슈얼리티의 반대로서 부상하였다. 릴리안 패더만$^{Lillian\ Faderman}$ (1985: 17-18)은 어떤 레즈비언 페미니스트들은 레즈비어니즘을 섹슈얼리티와 는 독립적인 것으로 이론화하기까지 했음을 보여준다.

> 여자들 사이의 사랑은 애초부터 오직 남성을 위한 환상문학$^{fantasy\ literature}$ 에서나 성적 현상이었을 뿐이다. '레즈비언'은 두 여자 사이에서 가장 강력한 감정과 애정이 서로에게로 향해 있는 관계를 설명하는 것이다. 성적 접촉은 그 관계에서 덜 있을 수도, 더 있을 수도, 아니면 아예 부재할 수도 있다. 우선적으로 두 여자는 거의 모든 시간을 함께 보내고 삶의 거의 모든 부분을 공유한다.

점차적으로, 레즈비언의 성 행위가 한 쌍의, 영속적 단일대상의, 여성과 동일시한, 정치적인 것이라는 레즈비언 페미니스트의 지배적 가정들에 대한 저항이 일어났다. 게이 해방운동이 상대적으로 광범위한 성적 다양 성을 인정하고 그것에 가치를 두어온 반면, 이 사안에 대한 논쟁들이 비슷하게 있기는 했었고 아예 아무런 결과도 낳지 않은 것은 아니었지만 그다지 활기차게 진행되지는 않았다.

레즈비언 페미니즘은 레즈비언 섹슈얼리티의 '표준' 형식들에서 벗어 나는 예외적인 것들 - 양성애, 가-피학성애 혹은 부치/펨 등 - 은 이데 올로기적으로 가부장적 가치에 동화된 혐의가 있다고 주장해 왔다. 양성 애 여성들은 따라서 가치절하된 사회적 정체성과 완전히 동일시하는 대신 이성애적 특권을 계속 누리고 있는 레즈비언들이다. "[그들은] 젠더 화되지 않은$^{pre-genderized}$ 다형적 변태거나 그저 성적으로 결정을 내리지 못한, 헌신하지 않는, 그렇기 때문에 신뢰할 수 없는 이들이다"(Daümer, 1992:92). 스스로를 부치나 펨이라고 여기는 레즈비언들은 페미니즘이 없던 시대의 레즈비어니즘에 속하고 그 결과 영웅적이거나 비극적이거나 둘 중 하나라고 생각되는 이들이며 성 관계 안에서 젠더 구분이 불가피한 이성애자들의 사고방식을 내면화한 이들이다(Nestle, 1988). 가-피학성애자들도 이와 유사한데, 이성애적 관계를 구성한다고 추정되는 학대와 권력 불균형을 에로틱화해 내면화한 것이라 이해된다. 쉴라 제프리스(Jeffreys, 1993:179)에 따르면, 가-피학성애는 미성숙한 섹슈얼리티의 한 형태이자 '남성 지상주의 하의 섹슈얼리티가 개인들 안에 구축된' 결과다.

> 많은 레즈비언들은 남성에게 순종적인 성적 유순함에 대해 여성의 올바른 반응이 어떠해야 하는지를 배우는 데에서 어려움을 겪지만, 그럼에도 불구하고 우리는 여성의 섹슈얼리티가 가-피학성애 중심으로 구성되는 것으로부터 쉽게 탈 없이 벗어나지 못한다. 억압 하에서 살고 그것에서 벗어날 길이 사실상 없는 곳에서, 우리가 성적 주도를 하는 평등한 관계를 향하여 적어도 어느 정도 발전된 시기에 이를 때까지는, 선택의 여지가 거의 없이 우리는 억압상태에서 쾌락을 취할 수밖에 없다. 가장 흔한 것이 우리의 무력함을 피학성애적으로 관능화하는 것이다. 이것이 너무 '계집애 같다'고 보는 여성들에게는 여성을 모욕하는 역할이 가학성애적으로 관능화될 수 있다. —이 모델들은 여성혐오 문화 안 도처에 있다.

스스로를 이런 주변화된 성적 범주와 동일시하는 여성들이 자신의 고유한 정체성에 기반하여 자신들을 인정해 줄 것을 요구하기 시작했을 때

반체제집단들이 점점 무성적이고 부정직하며 규제적이 되어간다고 특징지었던 '표준적인' 레즈비언 페미니스트적 섹슈얼리티의 헤게모니는 약화되었다.

레즈비언 섹슈얼리티의 '적절한' 범위를 둘러싸고 유사한 충돌이 1980년대 초 미국, 캐나다, 영국, 뉴질랜드, 호주에서 일어났다. 이 논쟁의 일반적인 개요는 1982년 "섹슈얼리티 정치를 향하여Towards A Politics of Sexuality"라는 주제로 버나드대학Bernard College에서 열렸던 논란 많았던 학회에서 볼 수 있다. 2년 후, 이 학회의 자료들이 『쾌락과 위험: 여성 섹슈얼리티 탐색하기Pleasure and Danger: Exploring Female Sexuality』라는 제목으로 출판되었다. 이 책은 곧 페미니스트 텍스트의 고전이 되었고 그 영향력은 북미지역의 맥락을 넘어 지속되었다(Vance, 1984). 책의 제목은 섹슈얼리티를 어떻게 재현할 것인가에 대한 페미니스트적 양면성을 잘 드러내고 있다. 『쾌락과 위험』은 레즈비언 섹슈얼리티에 대한 규범적 모형이 만들어낸 불안이나 불만족을 상당히 드러내고 있고 "정치적 정체성을 위해 성적 차이는 부서지기 쉬운 결속요소다"라는 제프리 윅스(1985:193)의 주장을 입증한다.

도로시 앨리슨Dorothy Allison(1984:111, 112)은 심지어 '침묵이라는 문제를 중심으로 주요 분석을 발전시켜 왔던' 운동인 페미니즘 안에서조차 어떤 성적 욕망들 ─ 즉, '가/피학, 부치/펨, 물성애fetished' ─ 은 여전히 말해질 수 없다고 불만을 토로한다. 조앤 네슬레Joan Nestle(1984:234)도 다르지만 부인되고 있는 계보를 가리키면서 레즈비언 페미니스트의 권위에 대해 도전하는데 부치/펨 역할놀이를 이 계보에 포함시키고 있다.

1970년대 페미니스트 모델로부터 벗어난 레즈비언의 삶에 대한 질문과 답들은 충격파와 같이 이 운동의 기반을 뒤흔든다. 그럼에도 이 새로운 흐름의 질문들은 페미니스트 운동과 레즈비언 운동의 생성을 도왔던, 그리고 이제 그 운동들이 새로이 성장하도록 도전하고 있는 여성들로부터 나온 진정성 있는 것들이다.

에스더 뉴튼Esther Newton과 셜리 왈튼Shirley Walton — 각각 레즈비언과 이성애자로 자신을 규정하고 있다 — 은 둘이서 함께 쓴 글에서 이항화된 성적 선호 범주들이 비록 완전해 보여도 그 범주들은 다른 성적 구별축들에 세심한 주의를 기울임으로써 복잡해지고 확산될 필요가 있는데, 이는 관능적 정체성, 관능적 역할, 관능적 행동 등을 포함한다고 주장한다(Newton and Walton, 1984). 초기 문헌의 잠정적 어조는 레즈비언 섹슈얼리티의 본질이 함의하는 것에 대한 추측들이 무엇인지가 고려되고있음을 보여준다. 그럼에도 불구하고, 밴스(Vance, 1984:19)는 서론에서 "성적 지향은 여성들 사이의 유일한 성적 차이도 아니고, 가장 두드러진 성적 차이가 아닐 수도 있다'고 말하면서 관습적인 레즈비언 페미니스트 섹슈얼리티 모델이 갖는 권위에 도전하는 입장을 조성하고 있다. 밴스의 논의를 따라가면 성적 지향은 레즈비언들 사이의 공통점을 위한 충분한 토대를 만들지 않을 수도 있다.

"섹슈얼리티 정치를 향하여" 학회가 끝난 지 1년 후에 발표된 글에서 팻 칼리피아Pat Califia 는 밴스의 논리를 극단적으로 따라가면서 가피학성애자를 가장 우선적인 자기정체성으로 갖는 이는 성적 대상의 성이 무엇인지가 결정적이라고 간주하는 성적 지향에 대한 전통적 설명에 영향을 미치고 그것을 무효화할 수 있다고 예측한다. 그 결과, 칼리피아는 '레즈비언'은 – '게이 남성'이나 '이성애자'처럼 – 성적 신분 범주로서 한계가 있다고 주장한다. 칼리피아(Califia, 1983:26)는 가·피학성애자의 어떤 성적 행위들은 게이 남성과 레즈비언 사이의 이른바 넘지 말아야 할 선을 넘어선다는 것을 감안할 때, '성적 지향이 오직 성적 파트너의 성 sex이 무엇인가에 따라 결정된다는 것은 매우 이상한 일'이라고 본다. '나는 계집애 같은 녀석들faggots과 섹스를 했다'고 쓰면서 '그리고 나는 레즈비언이다'라고 칼리피아는 말한다(같은 글:24). 가·피학성애 장면을 처음 접했을 때를 묘사하면서 칼리피아는 '대체로 엄격한 성적 지향의 경계들 밖으로 나가는 것을 허용'하기 때문에 전통적인 성적 취향 범주들로 담아낼 수 없는 일련의 성적 행위들에 대해 서술한다(같은 글:25). 그렇지만, 칼리피아는 전통적 범주를 버리는 대신 그것을 현저히 다른 맥락들 안에서 재조성한다.

> 이렇게 결합된 경험들은 전형적인 동성애적 스타일에 맞지 않는 생활스타일을 낳았다. 나는 5년 된 여자애인과 살고 있다. 여자들과 수없이 많은 일회적 성관계를 가졌다. 가끔은 게이 남성과도 일회적 성관계를 갖는다. 게이라는 말을 쓰지 않는 동성애자 남성과 3년째 관계를 갖고 있다. 그리고 나는 나 자신을 레즈비언이라고 부른다.(같은 글)

게다가, 그리고 상식적인 이해에는 무관심하게, 칼리피아는 '레즈비언'을 개인적인 식별 범주로 계속 쓰고 있다. 칼리피아가 그렇게 하는 것은 (예상될 수 있듯이) 그녀가 여자에게만 성적인 매력을 느끼기 때문이 아니라 그녀의 레즈비언성이 게이 남성과 갖는 성 행위들이 의미를 갖도록 맥락을 부여해주기 때문이다. "나는 퀴어다움, 게이다움, 동성애－남자든 여자든 상관없이－를 관능화해 왔다." 그리고 "게이 공동체 맥락 밖에서 남자와 성행위 하는 것에는 흥미를 느끼지 않는다. 생물학적 성이 다른 두 게이가 성행위를 할 때, 웃긴 방식으로, 그건 여전히 게이 성행위다'(같은 글)라고 주장한다.

그와 같은 주장은 1990년대 초기에 자신들의 성적 취향을 포용하기 위해 '레즈비언'의 정의를 확장시키기 보다는 신분 범주들이 갖는 불가피한 한계를 보여주는 데에 더 관심이 있었던 레즈비언들에 의해 맹렬하고 분명하게 제기되었다. 「나의 흥미로운 상황My Interesting Condition」이라는 비웃는 듯한 제목의 글에서 잔 클로센Jan Clausen(1990:12)－한때 유명한 레즈비언 활동가였고 국제적 명성을 얻었던 저자－은 단일대상과 일대일 레즈비언 관계 안에서 12년 동안을 지낸 후 '한 남자와의 열정적인 관계에 들어가기'로 결심하게 된 것에 대해 설명하고 있다. 정체성의 정치에 의해 함께 유지되었던 삶의 방식과 공동체에 대해 이것이 만들어낸 혼란－개인적 차원과 집단적 차원 모두－을 논하면서 클로센은 "이 경험은 … 지난 이십여 년 동안 레즈비언-페미니스트들에 의해 구축되어 왔던 레즈비언 정체성에 신기하고 잠재적으로 가치 있는 해결의 실마리를 던져준다'고 말한다(같은 글:13). 비록 클로센은 자신의 행동을 대체로 개인적인 측면－개인적인 욕구와 자유의사 그리고 특정한 정황 등－에서 설명하고 있지만, 관습적인 정체성 범주들을 문제적이라 여기고 있다. 정체성의 정치가 어느 정도는 지속가능하고 동시에 생산적인 특정 구조들과 지식들이 존재 가능하도록 만든다는 것을 인정하면서도 클로셴은 레즈비언 페미니즘이 정체성에 투자하고 기대는 정도에 대해 질문을 던진다.

나는, 당장은, 자신에 대한 궁극적인 정의, 억압의 정수, 개인적 가치의 발생지를 제공해 주는 것처럼 보이지만— 결국 다음 순간 폭로된 것에 의해 대체되어 버리고 마는 본질적인 특징을 밝히려는 성급함에 낚인 정체성 중독자가 되고 싶지는 않다(같은 글:17).

클로셴은 자신의 섹슈얼리티를 표현할 수 있도록 '레즈비언' 범주를 확장시킬 것을 요구하는 대신 그렇게 할 수 없는— 자신의 성적 궤적을 기만적인 것으로 혹은 잘못 인식된 것으로 표현하는— 무능력이 그것의 한계, 즉, 정체성의 정치가 가진 불가피한 한계를 입증한다고 주장한다.

밴스와 칼리피아처럼 클로셴은 섹슈얼리티를 어떤 성적 대상을 선택하는가의 측면에서 범주화시켜 이해하라는 문화적으로 지배적인 강요에 대해 질문을 던지고 있다. 클로셴은 레즈비언 페미니즘이 마치 그 자체로 진정성을 가지는 것인 양 그러한 강요를 자기반복하고 있다고 비판한다. 클로셴(같은 글:19)은 "레즈비언 정체성을 모호하지 않은 것으로 가정할 때, 여성을 사랑하는 동시에 남성에게 매력을 느낀다는 사실을 발견하고는 경악할 때, 우리는 섹슈얼리티에 대해 만연해 있는 문화적 신화를 다른 형태로 다시 쓰고 있는 것이다'라고 적고 있다. 게다가, 클로셴은 전제되고 있는 이성애와 동성애의 상호배타성에 대해 의문을 제기하고 양성애를 자신이 처한 난국을 해결하기 위한 분류학상의 해결책으로서가 아니라 여러 개 중의 하나가 아닌, 정체성 정치의 근간을 전복하는 정체성으로서 이해한다. '양성애는 결코 성적 정체성이 아니다. 그것은 반정체성 anti-identity, 욕망의 한 대상, 사랑의 한 방식으로 경계 지어지는 것에 대한 (물론, 의식적인 것은 아닌)거부다'(같은 글:19).

『다른 어떤 이름으로든*Bi Any Other Name*』(Hutchins and Kaahumanu, 1991)이라는 최근의 한 선집에, 어떤 사람들에게, 양성애는 오직 세 번째로 구체화된 범주로서 인정해 달라는 요구를 하는 한에 있어서만 이성애와 동성애를 곤란하게 만든다는 증거가 충분히 나온다. 하지만 클로센과 같은 이들에게 양성애는 성적 선호를 규정하는 데 있어 젠더가 담당하는 역할에 의문을 제기하는 것이다. 엘리자베스 다우머**Elizabeth Daümer**(1992:95-6)는 이러한 주장을 발전시켜 양성애를 '상호배타적인 두 개의 성적 문화들' 사이에서 '통합의 상징'으로 자리매김하는 것으로는 충분하지 않다고 말하면서 다음과 같이 제안한다.

> 우리는 양성애를 이성애적 지향과 동성애적 지향을 통합하는 일종의 정체성으로서가 아니라 우리가 레즈비언으로서 그리고 레즈비언 페미니스트로서 동성애혐오와 성차별주의에 반대하여 싸우고 있고 동시에, 그렇게 싸움에도 불구하고 우리가 여전히 너무도 깊이 뿌리를 박고 있는 젠더와 섹슈얼리티라는 양극적 틀을 검토할 수 있고 해체할 수 있게 해주는 하나의 인식론적 지점이자 윤리적 지점으로 상정한다.

'젠더와 섹슈얼리티라는 양극적 틀은 정치적으로 비생산적이기 때문에 양성애는 이성애뿐만 아니라 레즈비언 페미니즘이 현재 이해되고 있는 방식을 고정시키는 성/젠더 체계 전체를 비자연적인 것으로 만드는 수단을 제공하여 다우머의 이론에서 결정적인 역할을 한다.

레즈비언 페미니즘 내부에서의 이 논쟁들의 강도가 게이 해방운동가들 내부에서나 심지어 소수민족집단 모델의 게이 정체성주의 내부에서 관련되어 이뤄진 논쟁에서 반복되지는 않았다. 하나의 이유는 성적 다양성을 받아들이는 것은 이미 게이 남성 정체성을 구성하는 하나의 측면이었기 때문이다. 공동체 정당화라는 측면에서는 다르게 평가되었지만 게이의 성생활은 이미 단일대상 관계와 비단일대상 관계, 공과 사, 한 쌍과 여러 명 사이, 그리고 여가용과 상업용 성행위를 구성하는 의례, 스타일, 신분들을 이미 인정했다. 그럼에도 불구하고, 성적 다양성에 관용적이면서도, 가-피학성애와 세대 간 성행위에 대한 매우 열띤 논쟁의 초점이었던 '지배적인 친밀 규범'이 사실 부상하였었다(Seidman, 1993a:124). 가-피학성애에 대한 논쟁은 게이 공동체와 레즈비언 공동체 둘 모두에서 비슷했지만 세대 간 성행위에 대한 논쟁은 레즈비언 페미니즘 진영에서는 그다지 충분히 이루어지지 않았고, 그 결과 세대 간 성행위는 자주 당연히 페미니스트적이지 않은 것으로 이해된다.

여러 가지로 세대 간 성행위로 간주되는 아동 성학대, 성인 남성과 소년의 사랑과 소아성애paedophilia, 심지어 그 개념을 설명하기 위해 사용되는 용어들의 의미론적 연속도 합의, 권력, 아동기에 대한 법적 규정과 같은 사안들로 구성된 논쟁에서 다양한 입장을 불러일으킨다. 동성애 혐오 문화에서는 소아성애와 게이 남성을 연관시키는 시각이(오히려 그 반대라는 증거에도 불구하고) 계속되고 이로써 왜 주류 게이운동이 이 문제에 관해 어떠한 공식적 논의도 지지하기를 꺼리는지 의심할 필요도 없게 한다. 그러나 세대 간 성행위라는 사안은 많은 게이와 레즈비언 공동체 안에서 계속 열띠게 논쟁되고 있다. 어떤 이들은 아동 보호는 게이 정체성의 발전에 윤리적으로 중요한 문제라고 여기나 또 다른 이들은 이런 관점을 '관능적 히스테리'라 여기며 일축한다(Rubin, 1993:6). 다른, 임의적인, 합의연령법의 상황은 어떤가? 아동은 섹슈얼리티를 가지고 있고 성적 행위성에 대한 권리를 갖는가? 왜 연령은ㅡ 말하자면 인종이나 계급과 달리ㅡ 법적으로 보호받는 성애화된 권력 차등 범주로 이해되는가? 윤리적 방식으로 아동을 관능화하는 것이 가능한가? 이러한 것들이 세대 간 성행위를 둘러싼 논란에서 흔히 제기되는ㅡ 그리고 여전히 해결되지 않은ㅡ 질문들이다(Altman, 1982:198-202; Weeks, 1985: 223-31).

소수민족집단 모델로 게이, 레즈비언 정체성을 성공적으로 구축하게 된 것에 대한 초기 반응은 비규범적 정체성 범주들에 대해서도 동등하게 인정해 달라는 요구였다. 몇몇 사례에서, 이러한 요구는 식별 범주들 자체에 대한 불만과 정치적 개입에서 식별 범주들이 갖는 효력에 대한 의문으로 발전하였다. 스테인(Stein, 1991:36)은 "개인들을 조직화하기 이전에 그 개인들 사이에 이미 존재하는 차이를 단순히 반영하는 집단 정체성을 가정하는 대신 우리는 … 운동이 정체성을 새로이 만들어내는 과정을 면밀히 살펴볼 필요가 있다'고 적고 있다. '동성애자들의 조직화가 다른 성애적 인구집단에게 이데올로기의 모든 것과 조직기술을 제공하는 것'이 아니라, 오히려 다른 성애적 인구집단이 점점 더 구체화되어 동성애가 범주로서 갖는 자명해 보이는 지위를 문제 삼는다(Rubin, 1981:195). 규범적 정체성 모델이 그것에 요구되는 대의적 작업에 결코 충분치 않을 것이라는 의심은 정체성, 젠더, 섹슈얼리티, 권력 그리고 저항에 대한 포스트모던한 인식의 영향으로 강화되었다. 이런 것들이 퀴어가 인지될 수 있는— 혹자에 따르면, 거의 불가피한— 현상이 되는 맥락을 제공한다.

정체성의 한계들

동성애, 레즈비언 혹은 게이, 퀴어

비록 자기설명을 위한 용어로 '퀴어'가 광범위하게 사용되고 있는 것이 비교적 최근의 현상이기는 하지만 19세기 이래 동성애의 의미론적 장을 구성해 왔던 일련의 용어들 중에서 퀴어는 가장 최근의 용어다. '동성애'라는─1869년에 스위스 의사인 카롤리 마리아 벤커트가 고안한─용어는 성과학자 헤블록 엘리스Havelock Ellis가 받아 사용하기 시작했던 1890년대 전까지는 영국에서 그다지 널리 쓰이지 않았다. 이후 계속해서 통용되기는 하였지만 의학에서 병리학 담론과 확고부동하게 연관되어 있기 때문에 요즘은 자신을 식별하는 용어로서는 그다지 쓰이지 않는다. 사이먼 와트니Simon Watney는 "자신을 '동성애자'라고 설명하는 것은 20세기 후반보다는 증기기관 시대에 더 적합한 섹슈얼리티에 대한 유사과학적 이론 안에서 사는 것이 된다"고 쓰고 있다(Watney, 1992:20).

보다 최근인 1960년대에는 해방주의자들이 도덕적으로 미심쩍은 여자들을 일컫는 19세기 속어였던 '게이'라는 단어를 재배치해 추가함으로써 '동성애'와 전략적으로 거리를 두었다. '게이'는 특히 특권화되고 자연화된 이성애에서 일탈한 것으로 동성애를 분류하는 이항화되고 위계화된 성적 범주화에 대해 정치적으로 대응하기 위해 사용되었다. 이런 식으로 용어를 사용하는 것에 대해 매우 보수적인 – 언어학적으로 순진한 것은 말할 것도 없고 – 비판이 제기되었는데 그 근거는 '순수한' 용어가 원래의 적절한 사용법에서 '변태스럽게 왜곡되고 있다'는 것이었다. 존 보스웰John Boswell의 책 『기독교, 사회적 관용, 그리고 동성애: 기독교 시작 시기부터 14세기까지 서유럽에서의 게이 민중들Christianity, Social Tolerance, and Homosexuality: Gay People in Western Europe from the Beginning of the Christian Era to the Fourteenth Century』이 출간되었을 때 키트 토머스Keith Thomas는 보스웰이 '게이'라는 말을 되는대로 막 쓰도록 내버려두고 있다며 출판사를 꾸짖기도 했다. "역사는 언어의 변화에 저항하려는 시도들이 거의 언제나 변함없이 실패하게 된다는 것을 보여준다. 그러나 이 경우에 있어서 시카고대학교 출판부가 그렇게 쉽게 굴복해야 했었다는 것은 매우 유감스러운 일이다"(1980:26)라고 말이다. 토머스는 이 경우가 무엇이 잘못된 것인지 다음과 같이 구체적으로 언급하였다.

첫 번째 반대 이유는 정치적인 것이다. 소수자들은 당연히 자신들의 행위를 가치있어 보이도록 하고 자신들에 관한 오해로부터 자유로워질 수 있도록 해주는 보다 더 우호적인 의미를 함축하는 용어를 새로 가져다 쓸 권리가 있다. 그러나 해당 소수집단에 속하지 않은 이들까지 새로운 용어를 사용하기를 기대할 권리는 없다. 특히 그들이 선택한 이름이 매우 이상해서 적절해 보이지 않고 다른 모든 이들을 은근히 비방하는 듯 보일 때는 더욱 그렇다. … '게이'에 반대하는 두 번째 이유는 언어학적인 것이다. 수세기 동안 이 말은 (대략) '쾌활한', '마음 편한, 또는 '생기에 가득 차 발랄한'이라는 것을 의미해 왔다. 그것에 전적으로 다른 의미를 부여하는 것은 지금까지 다른 것으로 바꿀 수 없었던 어휘를 우리에게서 박탈하는 것이고 부수적으로는 우리가 물려받은 많은 문학을 말도 되지 않는 것으로 만들어 버리는 것이다. (같은 글)

15년이 지나고 나서야 토머스의 반대가 희극적으로 보이게 되었다. '게이'가 동성애자들을 잘못 설명할 뿐만 아니라 이성애자들이 그 범주 안에서 갖는 행복을 박탈한다는 토머스의 격분은 그저 동음이의적인 '게이'가 언어와 문학을 망칠 것이라는 불안 이상 아무것도 아니라고 생각되게 되었다. 사실 '게이'라는 말의 대중성은 동성애를 병리화해 온 성과학의 역사가 주는 부담을 덜어낸 비의료학적 설명어로서의 잠재성을 증명한다.

어원학적 진화를 추적하는 것은 정확한 작업이기보다 개략적인 작업이다. 대체로 '동성애자', '게이' 또는 '레즈비언' 그리고 '퀴어'와 같은 용어들이 동성 간 성 개념의 역사적 변화를 연속적으로 기술하지만 이 용어들의 실제 쓰임에 대해 예측하기란 때로 쉽지 않고 종종 각 용어가 특징적으로 나타내는 시기를 앞서거나 뒤따르는 경우가 더 많았다. 예를 들어, 조지 천씨^{George Chauncey}는 2차 세계대전 이전 뉴욕의 복잡하고 가시적인 게이 세계를 구성했던 다채로운 하위문화에서는 '퀴어'가 '게이'보다 먼저 쓰였다고 본다. 천씨는 "1910년대와 1920년대까지 여자 같은 자신의 젠더 지위가 아니라 기본적으로 동성애적 측면에서 자신이 다른 남자들과 다르다고 여겼던 남자들이 자신을 '퀴어'라고 불렀다'고 적고 있다(Chauncey, 1994:101). 이와는 대조적으로, '게이'라는 용어는 처음 "1930년대에 유행하기 시작해 전쟁 중에 그 의미가 가장 구체화되었다"(같은 글:19). 최근이라 할 수 있는 1990년, 『동성애 백과사전 *Encyclopedia of Homosexuality*』은 '이 용어의 대중성이 감소하는 것은 오늘날 게이 남성들과 레즈비언들이 엄청나게 가시화되었고 그만큼 받아들여지고 있음을 반영하며 그들 대부분이 사실은 해롭지 않은 평범한 사람들임이 점점 더 알려지고 있기 때문'이라고– 너무 섣불리– 결론을 내리면서 '퀴어'를 거의 태곳적 용어로 설명하였다(Dynes, 1990:1091). 20세기 북미 사회에서 '퀴어'가 "동성애자들을 모욕하는 아마 최대의 속어로 사용되어 왔다"는 것을 인정하면서도 이 백과사전은 "심지어 오늘날에도 몇몇 나이 든 영국 동성애자들은 그 용어를 선호하고, 심지어 어떤 때는 그 용어가 가치-중립적이라 믿는 경향이 있다"(같은 글)고 회의적으로 전하고 있다. 천씨와 다이네스의 사례들은 역사적 진화의 예측불허성이 그것을 설명하려는 전적으로 더 간결한 범주와 맞아떨어지는 경우는 거의 없다는 경고장 역할을 한다. 그럼에도 불구하고 '동성애자', '게이' 또는 '레즈비언' 그리고 '퀴어'가 밟아 온 자취는 그 용어들과 20세기 동성 간 욕망을 설명하기 위해 흔히 사용되었던 식별범주들을 정확하게 보여준다.

이 용어들은 분명 서로 연관되어 있지만 2장에서 살펴보았던 구성주의적 논쟁은 이 용어들이 단순히 서로 다른 방식으로 똑같은 것을 말하고 있는 것이 아니며 따라서 동의어로 오인 받아서도 안 된다는 것을 가리킨다. 사이먼 와트니(Watney, 1992:20)가 주장해 왔듯이 "개인의 사적인 정체성의 수준에서 일어나는 변화와 경합에 대한 질문은 결코 사소하지 않으며 근대성이라는 보다 넓은 틀에서 권력의 작동을 어떻게 이해할 것인가에 근본적인 것이다." '퀴어'는 단순히 동성애적 욕망을 초역사적으로 설명하고 구성하는 일련의 용어들 중에서 가장 최근의 것이 아니라 오히려 이른바 어떠한 보편적인 개념이든 그것을 문제삼는 구성주의의 결과다. 최근 확산되고 있는 레즈비언, 게이 연구에서 어떤 상황에서 무슨 용어를 사용할 것인지에 대해 어떤 주저함이나 자의식이 있음을 주지하면서 제임스 데이빗슨^{James Davidson}(1994:12)은 "퀴어는 사실 이러한 근대적 발화 위기에 대한 가장 흔한 해결책이다. 많은 곳을 여행한 이 말은, 19세기 객실에서 은밀히 속삭여진 암시에도 적응하였고 힘을 실어주는 구호로 승격한 1990년대 거리에서도 똑같이 적응하였다."고 말한다. 다채로운 역사적 시기에 대한 불규칙한 주장들로 인해 데이빗슨은 퀴어가 "단지 혼란만을 만든다"고 주장한다(같은 글). 중요한 용어인 '퀴어'는 고도로 융통성있는 역사적 감각을 가졌음이 입증되어 왔다(1장을 볼 것). 그러나 이 용어는 소급적이고 초역사적인 설명어로서가 아니라 구체적으로 그리고 특정하게 1980년대 후반과 1990년대의 문화적 형성물들을 지시하는 용어로서 가장 흔히 쓰여 왔다. '동성애자'에서 '게이'로의 이동을 설명하면서 윅스(Weeks, 1977:3)는 이 용어들이 "오래된 현실에 대한 그저 새로운 이름표가 아니라 변화하고 있는 현실을 가리킨다. 적대적인 사회가 동성애에 꼬리표를 붙이는 방식에서, 그리고 낙인찍힌 이들이 스스로를 보는 방식에서의 변화말이다'고 주장한다. 비슷하게, 그것의 의미론적 역사를 형성하는 용어들로부터 스스로를 차별화하면서 '퀴어'는 '변화하는 현실'을 똑같이 전면화하고 있는데 다음에서 그 측면들이 자세하게 검토될 것이다.

후기구조주의적 퀴어 맥락

퀴어는 게이 해방주의자들과 레즈비언 페미니스트 모델과의 지속과 분리를 동시에 나타낸다. 레즈비언 페미니스트 모델의 조직은 게이 해방운동이 가진 남성성 중심적 편견을 바로잡고자 하였는데 게이 해방운동 자체도 이전시기 동성애 옹호운동 조직들에 대한 불만에서부터 성장했었다. 이와 비슷하게, 퀴어는, 절대적으로 존재하는 것과는 거리가 멀어, 오직 역사 발전의 맥락 안에서만 의미를 갖는 파열 효과를 낳는다. 수잔 헤이Susan Hayes(1994:14)가 대충 훑어 내린 게이 진화의 역사는 퀴어가 연관되어 있는 일련의 사건들 중에서 가장 최근의 것이라는 생각을 갖게 한다.

처음에 사포Sappho(좋았던 옛 시절)가 있었다. 그런 다음, 허용할만한 동성 에로티시즘이 있었던 고대 그리스와 그것이 너무 과도했던 로마가 있었다. 그런 다음, 2천년을 훌쩍 건너 뛰어 오스카 와일드Oscar Wilde, 소도미(항문성애), 협박과 감금, 포스터Edward Morgan Foster, 색빌 웨스트Sackville-West, 레드 클리프 홀, 반전inversion, 검열이 있었고, 그런 후, 팬지꽃pansies들*, 부치와

---

* 남자 동성애자를 모욕적으로 일컫던 말.

펨, 푸프poof들*, 여왕들, 호모와 친한 마녀들fag hags, 더 심해진 검열과 협박, 그리고 오튼Joe Orton이 있었다. 그 다음, 스톤월Stonewall(1969)이 있었고 우리 모두는 게이가 되었다. 그때 페미니즘도 있었고 우리들 중 일부는 레즈비언 페미니스트가 되었고 일부는 심지어 레즈비언 분리주의자가 되었다. 드랙 drag(dressed as girl)과 클론clones**, 다이크dykes와 정치, 그리고 게이 스웻샵 Gay Sweatshop***이 있었다. 그후, 에이즈(후천성면역결핍증)가 등장해 성행위 (성적 정체성과 반대되는 성행위)에 대한 열띤 논쟁을 통해 아메리카에서 퀴어 운동을 낳았다. 그리고 대처Thatcher적 편집증의 최고 표현인 지방자치제법 28조가 등장해 영국에서 레즈비언 정치와 게이 정치의 급결혼을 불러왔다. 그렇게 낳은 아이가 퀴어이고 그 아이는 확실히 문제아다.

이러한 설명이 비록 범주로서의 퀴어가 갖는 계보를 전적으로 설득력 있게 설명하기에는 너무 농담조이기는 하지만 역사적 원인과 결과에 대한 풍자적 예는 분명 퀴어의 진화를 특징짓는 모호한 지속성과 비지속성을 극적으로 잘 보여준다.

　가장 최근의 관점에서도 퀴어가 동원된 정확한 일시를 알 수 없기에 1990년대 초기에 대중화되었다고 일반적으로 이해되고 있다. 퀴어는 특정한 문화적 압력과 이론적 압력이 만들어낸 산물로서 (학계 내외 양쪽에서) 레즈비언과 게이 정체성에 관한 논쟁을 갈수록 더 많이 만들어 왔다. 아마도 이 점에 있어 가장 두드러진 것이 게이 해방주의자들과 레즈비언 페미니스트들이 정체성과 권력의 작동에 대해 이해하는 방식

---

*　　여자 같은 남자라는 뜻으로 남자 동성애자를 경멸적으로 가리키던 말.
**　근육질 몸에 짧은 머리와 구레나룻, 민소매 셔츠와 리바이스 청바지를 즐겨 입던 1970년대의 게이 남성 스타일을 일컫던 말.
***　게이 해방운동의 힘을 받아 1975년 영국에서 게이 남성들이 설립한 상업 극단.

을 후기구조주의적 입장에서 문제화해 온 것일 것이다. 이는 데이빗 헉트**David Herkt**(1995:46)로 하여금 "게이 정체성은 철학적으로 보수적인 구성물이며 정체성이나 젠더에 관한 현대 이론들과 더 이상 어떠한 설득력 있는 학문적 관련성도 가지고 있지 않은 전제를 근거로 하고 있다"고 주장하도록 만들었다. 정체성에 대한 자유주의적, 해방주의적, 소수민족 집단적, 심지어 분리주의적 관념의 권위실추는 '퀴어'라는 개념이 부상하는 데 필수적인 문화적 공간을 만들어냈다. '퀴어'의 비특정성은 정체성 범주로서 '레즈비언'과 '게이'가 갖는 배제주의적 경향성들로 만들어진 최근의 비판에 퀴어가 맞선다는 것을 보증한다. 정확한 퀴어의 정의에 대한 합의는 없지만 퀴어의 필수적인 맥락으로 여겨지는 행동 영역과 이론 영역의 상호의존성은 다양한 변화를 거치고 있다.

퀴어의 효력에 대한 특정한 논쟁을 고려하기 전에, 상당 부분에서 퀴어 의제에 동의하는 정체성, 젠더, 섹슈얼리티 모델들이 변화해 왔다는 것을 이해하고 그와 같은 변화가 권력과 저항을 이론화하는 데서 갖는 함의를 인지하는 것이 중요하다. <게이 해방전선**Gay Liberationist Front**>을 <퀴어 나라**Queer Nation**>와 구별하면서 조셉 브리스토우**Joseph Bristow**와 안젤라 윌슨**Angelia R. Wilson**(1993:1-2)은 "지금까지의 정체성의 정치가 차이의 정치에 의해 대개는 대체되었다"는 것은 의미적으로 매우 중요하다고 본다. 이와 유사하게 리사 더건**Lisa Duggan**(1992:15)은 퀴어 모델에서 "차이에 관한 수사가 다른 집단들과의 유사성을 강조하는 동화주의적 자유주의를 대체한다"고 지적한다. 차이를 퀴어적 지식과 조직 모델에 결정적으로 중요한 개념으로 규정하는 데 있어서 이들 이론가

들은 퀴어에만 한정된 것이 아니라 후기구조주의의 일반적 특징이기도
한 어떤 변화의 지도를 만들고 있다. 도널드 모튼^{Donald Morton}(1995:370)
은 다음과 같이 쓰고 있다.

> 퀴어의 귀환은 지엽적 효과로서 보다는 개념적인 것, 이성적인 것, 체계적인
> 것, 구조적인 것, 규범적인 것, 진보적인 것, 해방적인 것, 혁명적인 것 등이
> 사회 변화에서 갖는 역할과 관련하여 섹슈얼리티 영역에서 계몽주의적 관점
> 들과 (후기)근대적으로 조우한– 그리고 거부한– 결과로서 이해되어져야만
> 한다.

사실상, 하나의 지적 모델로서의 퀴어는 단지 레즈비언, 게이 정치와
이론이 만들어 낸 것만이 아니라 오히려 20세기 후반 서구 사상을 구성
하는 역사적으로 특정한 지식에서 더 많은 영향을 받았다. 유사한 변화
가 페미니스트 이론과 실천 그리고 탈식민주의 이론과 실천에서도 발견
된다. 예를 들어, 데니스 릴리^{Denise Riley}(1988)는 페미니즘이 '여성'을 하
나의 통일되고 안정되며 일관된 범주로 다루려고 하는 점을 문제 삼았고
헨리 루이스 게이츠^{Henry Louis Gates}(1985)는 '인종'이 인위적인 것임을 밝
혀냈다. 이러한 개념적 전환은 레즈비언과 게이 학문진영과 행동진영
내에서도 큰 영향력을 행사했고 모든 퀴어 분석에서 역사적 맥락을 제공
한다.

레즈비언 운동과 게이 운동 모두 효과적인 정치적 개입을 위해서는
정체성이 필수적 전제조건이라 가정하면서 근본적으로 정체성 정치에
전념하였다. 한편, 퀴어는 식별 범주들과 보다 더 매개된 관계를 가지고

있는 전형적인 예다. 정치적 대표성이라는 측면에서 갖는 정체성 범주들의 한계에 대한 인식이 확산되고 있는 것과 함께 정체성을 임시적이고 우연적인 것으로 보는 후기구조의적 이론에 대한 접근은 새로운 개인 식별 형태이면서 또한 정치 조직화 양식으로서 퀴어가 등장할 수 있도록 만들었다. '정체성'은 아마도 우리 각자가 살고 있는 가장 자연적인 문화 범주들 중 하나다. 우리는 항상 자기 자신을 모든 재현틀 외부에 존재하는 것으로, 그리고 어쨌든 부인할 수 없는 현실성realness의 지점을 표식하는 것으로 사고한다. 그렇지만 이러한 자명해 보이는 혹은 논리적으로 보이는 정체성에 대한 주장은 20세기 후반부에 루이 알튀세르Louis Althusser, 지그문트 프로이드Sigmund Freud, 페르디난드 드 소쉬르Ferdinand de Saussure, 자크 라깡Jacques Lacan, 그리고 미셸 푸코와 같은 이론가들에 의해 몇몇 지점들에서 철저하게 문제시되었다. 집단적으로, 이들의 작업은 사회 이론과 인문과학에서 확실한 진전을 가능케 하였는데 스튜어트 홀Stuart Hall(Hall, 1994:120)의 말을 빌자면, 이러한 진전은 '데카르트적 주체의 최종적 탈중심화라는 효과를 낳았다(크리스 위던Chris Weedon, 1987; 다이애나 퍼스Diana Fuss, 1989; 바바라 크리드Barbara Creed, 1994와 비교해 볼 것). 결과적으로 정체성은 지속적이고 끈질긴 문화적 환상이거나 혹은 신화로 재개념화 되었다. 정체성을 '신화적' 구성물로 사고하는 것이 정체성의 범주들이 아무런 물적 효과를 갖지 않는다고 하는 것은 아니다. 오히려 – 롤랑 바르트Roland Barthes가 『신화Mythologies』(1978)에서 그러하였듯이 – 우리 자신을 일관되고 통일되며 자기 결정적인 주체로 이해하는 것 자체가 자신을 설명하기 위해 흔히 사용되고 결과적으로 정체성이 그것을 통해 이해되도록 만드는 재현 약호들의 효과라는 점을 깨닫는 것이다. 바르트가 주체성을 이해하는 방식은 마치 자연적인 혹은 자명해 보이는 정체성의 '진실'에 대해 질문을 제기하는데, 정체성을 앞에서와 같이 보는 관점은 역사적으로 자신을 자기결정적이고 합리적이며 일관된 것으로 보았던 르네 데카르트Rene Decartes의 관념에서부터 비롯된 것이다.

개인의 행동을 결정하는 제약적 틀이나 역사적 조건들에 대한 칼 맑스Karl Marx의 강조를 재고하면서 루이 알튀세르는 우리가 자유로운 주체로서 선재하지pre-exist 않으며 그 반대로, 이데올로기에 의해 그와 같은 것으로 구성된다고 주장하였다. 그의 중심 논지는 개인들이 이데올로기에 의해 주체들로서 '호명되거나' '불러내'지며 호명은 강력하게 혼합된 인정과 동일시를 통해 이루어진다는 것이다. 이 관점은 정체성 정치에 대한 모든 면밀한 분석에서 중요한데 왜냐하면 이데올로기가 어떻게 개인들을 사회에 위치시키는지 뿐만 아니라 개인들에게 자신의 정체성에 대한 감각을 어떻게 부여하는지도 보여주기 때문이다. 다시 말해, 이것은 어떤 이의 정체성이 어떻게 이미 이데올로기 자체에 의해 구성되는지를 보여준다. 단순히 이데올로기에 대한 저항에 의해 구성되는 것이라기보다는 말이다.

주체성에 대한 맑스주의적 구조주의 접근처럼 정신분석학도 정체성이 개인의 고유한 자질이라는 가정을 복잡하게 만드는 서사가 문화적으로 가능하도록 만든다. 지그문트 프로이드의 무의식에 관한 이론화는 주체성이 안정되고 일관된 것이라는 관념을 더욱 흔들어 놓았다. 개인이

의식하지 못하는 정신적이고 심리적인 중요 과정들이 형성적 영향력을 가진다는 설명을 구축하면서 무의식 이론은 주체가 온전하고 자각적이라는 상식 관념에 급진적으로 영향을 끼쳤다. 이에 더해, 프로이드의 작업에 대한 해석—특히 프랑스 정신분석학자인 자크 라캉의 해석—은 주체성이 반드시 학습되어야만 하는 것임을 확고히 한다. 항상 이미 그곳에 있는 것이라기보다는 말이다. 주체성은 자신에게 있는 본질적 자질이 아니라 자신 밖에서 유래된 것이다. 그렇다면, 정체성은 다른 이들과의 그리고 다른 이들과 달리하는 동일시의 효과이다. 따라서 정체성은 진행 중인, 항상 미완성 상태의 과정이지 소유할 수 있는 것이 아니다.

페르디난드 드 소쉬르는 자신이 1906-11년 사이에 구조주의적 언어학에 관해 했던 몇몇 영향력 있는 강연에서 언어는 사회적 현실을 구성하는 만큼 그다지 그것을 반영하지는 않는다고 주장하였다. 소쉬르에게 언어는 단순히 그곳에 이미 있는 어떤 것을 묘사하는 기능을 하는 어떤 2차 질서체계가 아니다. 오히려 언어는 그것이 오직 설명하고 있을 뿐으로 보이는 것을 유의미한 것으로 구성하고 만든다. 더욱이 소쉬르는 언어를 어떤 개별 화자보다 앞서 존재하는 의미표식체계로 정의한다. 언어는 흔히 우리가 '진정한 자신을, 그리고 우리의 내밀한 생각과 감정을 표현하는 매개라고 오해받는다. 그렇지만 소쉬르는 내밀한, 개인적인, 그리고 내적인 자신이라는 우리의 관념이 언어를 통해 구성된 것이라고 간주할 것을 요청한다.

알튀세르, 프로이드, 라캉, 소쉬르의 이론들은 퀴어가 부상하게 된 후기구조주의적 맥락을 제공한다. 프랑스 역사가인 미셸 푸코는 성적 정체성이 이해되는 지배적인 방식이 비자연적인 것이라는 점을 드러내는 데에 보다 분명하게 개입해 왔다. 섹슈얼리티는 본질적으로 개인적인 자질이 아니라 접근가능한 문화적 범주─ 그리고 단순히 권력의 대상이 아니라 권력의 효과─ 라는 점을 강조한다는 측면에서 푸코의 글들은 레즈비언과 게이 그리고 뒤이어 퀴어 운동과 학문의 발전에 결정적으로 중요한 것이 되어 왔다. 이에 대해 말하는 것이 푸코의 글들과 퀴어적 실천과 이론 사이에 말 그대로 어떤 인과적 연관성이 있다고 주장하기 위함은 아니다. 그럼에도, 다이애나 퍼스(Fuss, 1989:97)는 섹슈얼리티에 대한 푸코의 작업이 '정체성을 주장하는 모든 것을 문제적인 것으로 만드는 후기구조주의적 풍조 안에서 '게이', '레즈비언', 그리고 '동성애자'와 같은 범주의 의미와 적용가능성을 둘러싼 게이 이론가들과 활동가들 사이의 최근 논쟁'[10]과 공명하고 있다고 본다.

섹슈얼리티가 자연적인 조건이라기보다는 담론적 산물이라는 푸코의 주장은 근대적 주체성이 권력망의 효과라고 보는 보다 더 큰 주장의 한 부분이다. 푸코에게 부정적이거나 억압적인 것일 뿐만 아니라 생산적이고 무엇인가를 가능하게 만들기도 하는 권력은 그 효과가 사전에 결정되어 있지 않은 채 '무수히 많은 지점들로부터' 행사된다(Foucault, 1981: 94). 성sex은 권력 관계들과 무관하게 존재하며 그럼에도 권력 관계들에 의해 억압받는다는 두 가지의 일반적인 관념 모두에 반대하면서 푸코(Foucault, 1979:36)는 권력이 기본적으로 억압적인 힘은 아니라고 주장한다.

권력의 효과를 억압으로서 규정하게 되면 순수하게 법률적인 권력 개념을 수용한다. 그리고 권력을 '안돼no'라고 말하는 법law과 동일시한다. 즉, 그것은 무엇보다도 금지의 힘을 가진다. 지금, 나는 이것이 전적으로 부정적이고, 협소하며, 내용이 없는, 이상하게 공유되어 온 권력개념이라 믿는다. 만약 권력이 그저 억압적인 것이기만 하다면, 안 된다고 말하는 일만 한다면, 정말 당신은 우리가 어떻게든 그것에 복종해야 한다고 믿겠는가? 권력에 지배력을 주는 것, 권력이 받아들여지도록 만드는 것은 꽤 단순하게도 다음과 같은 사실이다. 즉, 권력은 단순히 안 된다고 말하는 힘과 같은 무게를 갖지 않는다. 권력은 어떤 것들을 생산하고 생산한 그것들을 통해 작동하고, 쾌락을 유발하고, 지식을 형성하고, 담론을 생산하고, 전체 사회체를 통해 작동하는 생산적 네트워크라고 간주되어야만 한다. 억압하는 기능이라는 부정적인 사례로 보기 보다는 말이다.

푸코의 분석에서 주변화된 성적 정체성들은 단순히 권력 작동의 희생자들이 아니다. 반대로 바로 동일한 권력작동들에 의해 생산된다. "지금까지 두 세기 동안 성sex에 대한 담론은 희박해진 것이 아니라 오히려 배가되었다. 그리고 그 담론이 금기들과 금지들을 동반했다면 보다 더 근본적인 방식으로는 성적 조각모음 전체의 고착과 이식을 가능하게 만들었다"(Foucault, 1981:53). 권력의 생산적, 가능성 부여의 측면에 대한 이러한 강조는 전통적으로 권력이 이해되어왔던 방식들을 근본적으로 변화시킨다. 결과적으로 권력에 대한 푸코의 재평가는 레즈비언과 게이 분석에 상당한 영향을 주었다.

푸코는 권력이 근본적으로 억압적인 힘이라고 생각하지 않으므로 금지된 것들을 깨뜨리고 자유롭게 말하는 것과 같은 해방주의적 전략들을 지지하지 않는다. 사실상 근대적 성적 억압이라는 관념이 널리 받아들여지고 있는데 푸코는 억압에 대한 담론적 비판은 권력 기제들을 정확하게 규정하기는커녕 "사실상 '억압'이라고 부르며 비난하는 (그리고 틀림없이 왜곡하는) 것과 똑같은 역사적 망의 일부다"고 말한다(같은 글:10). 푸코는 이전까지 부정되고 침묵당해 왔던 레즈비언과 게이 정체성들과 섹슈얼리티들에게 목소리를 주는 것은 권력에 반항하는 것이고, 그로써 변형 효과를 유발하는 것이라는 해방주의적 확신에 대해 의문을 제기한다. 푸코가 이 사안에 대해 단호히 반해방주의적 입장을 취하기 때문에 푸코는 종종 정치적 패배주의를 주창하는 것으로 읽히기도 한다─ 푸코가 '억압 가설repressive hypothesis'이라며 비판하는 바를 보면 아마 놀라울 것은 없겠지만(같은 글:15).

그럼에도 푸코는 또한 '권력이 있는 곳에 저항이 있고'(같은 글:95), 저항은 '[권력과] 같은 공간에 있으며 절대적으로 권력과 동시에 일어나는 대항이다'라고 주장한다(Foucault, 1988:122). 권력처럼 저항은 복합적이고 불안정하다. 그리고 특정 지점들에서 응축되고 다른 지점들을 가로질러 이리저리 흩어지며 담론 안에서 유통된다. '담론'은 어떤 특정한 개념에 관계되고 그렇게 함으로써 그 개념의 의미─'그 전술적 기능이 단일한 것도 안정된 것도 아닌 일련의 단절된 부분들'─를 구성하고 경합시키는 이질적인 발화들의 집합이다(같은 글:100). 푸코가 권력이 오직 위계적 관계들을 표시한다는 생각에 반대하여 경고하듯이 마찬가지로 담론은 단순히 어떤 것을 위하거나 혹은 반대하지 않고 끊임없이 야기하며 다층요소적 성격을 갖는다고 고집한다. "우리는 담론 세계가 수용되는 담론과 배제되는 담론으로 분리되어 있거나 지배적 담론과 피지배적 담론으로 분리되어 있다고 상상해서는 안 된다. 다채로운 전략들 안에서 역할 할 수 있는 담론적 요소들의 일종의 다중성으로서 상상해야 한다'(같은 글).

담론들과 전략들 사이의 관계를 설명하면서 그리고 단일 담론이 어떻게 반대의 목적을 위해 전략적으로 이용될 수 있는지를 보여주면서 푸코는 특히 어떻게 동성애라는 범주가 권력과 저항 구조들과의 관계 안에서 형성되었는지를 예로 든다. '종species'으로서의 동성애자의 발흥은 담론이 가진 다요소적 역량을 잘 보여준다.

> 19세기 정신의학, 법학, 그리고 동성애, 도착, 남색, '정신적 자웅동체'라는 종species과 변종subspecies에 대한 일련의 총체적 담론이었던 문학의 등장이 '도착'이라는 영역 안으로의 사회적 통제가 강력하게 발전하는 것이 가능하도록 만들었다는 것에는 질문의 여지가 없다. 그러나 그 등장은 또한 '역' 담론의 형성이 가능하도록 만들었다. 동성애는 스스로 말하기 시작했고 종종 동일한 용어로, 의학적으로 적격하지 않다는 데에 쓰였던 동일한 범주들을 사용하여 동성애의 적법성 또는 '자연성'을 인정해 줄 것을 요구하기 시작했다.(같은 글:101)

담론이란, 그렇다면, 전적으로 권력 체계들 내에 (그래서 곧 권력 체계들을 위해 반드시 복무하는 것은 아니지만) 있다. 푸코의 분석은 저항 양식으로서의 담론에 초점을 맞추고 있는데 담론의 내용에 대해 다투려는 것이 아니라 담론의 전략적 작동들을 자세히 다루기 위해서이다. 동성애가 푸코가 예로 들고 있는 핵심 사례들 중 하나인 한에 있어서 푸코는 성적 정체성들을 현재에 있는 문화적 범주들의 담론적 효과라고 여긴다.

권력과 저항에 대한 흔한 이해방식에 도전하면서 푸코의 작업은 레즈비언과 게이 – 나중에는 퀴어 – 이론에 명백한 호소력을 가진다. 비록 푸코 (1988b)는 '저자를 실제 현존하는 것으로서 보다는 텍스트의 효과로서 다루지만 게이 남성이라는 푸코의 공적 정체성은 푸코의 작업에 자극받은 게이 연구를 꽤나 잘 진행되도록 해온 것 같다.

푸코는 알튀세르나 소쉬르, 프로이드 그리고 라캉보다 훨씬 더 분명하게 레즈비언, 게이 연구가 충분히 새로운 모양을 갖도록 하는 방식으로 정체성을 급진적으로 재개념화 한다. 정체성 정치에 대한 최근의 – 레즈비언과 게이 집단 내외부 모두에서 가해지고 있는 – 비판은 단순히 어떤 단일 정체성을 구체화하는 것이 배제적으로 느껴졌기 때문에 일어난 일은 아니다. 그런 비판은, 후기구조주의 내에서, 정체성을 자아에 대한 일관되고 변치않는 감각이라 여기는 관념 자체가 입증해 보일 수 있는 사실이라기보다 일종의 문화적 환상으로 인식되기 때문에 일어났다. 레즈비언, 게이 정치의 정체성 강조에 반대하는 것은 처음에는 어떤 정체성 정치의 토대 범주도 대변(혹은 대표)이라는 명목 하에 잠재되어 있는 주체들을 불가피하게 배제한다는 사실을 바탕으로 하였다. 분명히, 인종과 계급 억압을 순전히 베끼는 레즈비언, 게이의 정체성 정치는 부적절하다. 정체성 정치는 단순히 차이라는 축에 대한 세심한 관심으로 복구될 수 없다. 후기구조주의도 보여주듯이 정체성 정치는 주체들 **사이의** 차이들 때문만이 아니라 각 주체 **내의** 해결할 수 없는 차이로 인해서도 속이 제거된다. 다이애나 퍼스(Fuss, 1989:103)가 주장하듯이 '다중정체성들'에 대한 이론들은 정체성을 통일된 것으로 보는 전통적인 형이상학적 이해방식에 대한 효과적인 도전에 실패한다.

수행성과 정체성

레즈비언, 게이 연구 내에서 정체성의 위험과 한계를 풀어 놓는 데에 가장 많은 일을 한 이론가가 주디스 버틀러이다. 널리 인용되고 있는 저서 『젠더 트러블: 페미니즘과 정체성의 전복*Gender Trouble: Feminism and the Subversion of Identity*』(1990)에서 버틀러는 주변화된 정체성들이 그들이 맞서 대항하고자 한 식별 체제에 어떻게 연루되어 있는지를 설명하기 위해 권력과 저항의 작동에 대한 푸코의 주장을 보다 더 상세히 설명하고 있다. 만약 푸코의 『성의 역사*The History of Sexuality*』(1권)가 데이빗 핼퍼린(Halperin, 1995:15)에게 "현대 에이즈 활동가들에게 단 하나의 가장 중요한 정치적 영감을 주는 지적 원천"이라면 이브 코소브스키 세즈윅(Sedwick, 1993a:1)에게 버틀러의 『젠더 트러블』은 퀴어 이론을 위해 그에 상응하는 영향력을 가진 책이다. 세즈윅은 "1991년 게이 레즈비언 연구 룻거^Rutger 학회에 있었던 누구라도, 발표된 글들마다에서 『젠더 트러블』이 호소하는 메시지가 반영되고 있는 것을 들었던 누구라도 농축되고 심지어 강요하는 듯한 이 글이 최근 퀴어 이론의 발전과 퀴어적 해석에 끼친 생산적인 영향력에 감탄하지 않을 수 없었을 것이다"라고 말하고 있다. 로즈메리 헤너씨(Hennessy, 1994:94) 또한 "주디스 버틀러는 어떤 퀴어 이론가들보다도 꾸준하고도 광범위하게 인용되고 있다"고 보고하고 있다. 『젠더 트러블』은 대체로 페미니즘의 측면에서 가장 두드러지게 틀이 짜여 있지만 그것의 가장 영향력있는 성과 중 하나는 어떻게 젠더가 이성애를 특권화하는 규제적 구성물로서 작동하는지, 그리고 더 나아가, 어떻게 규범적 젠더 모델의 해체가 레즈비언과 게이 남성의 주체 위치를 정당화하는지를 구체적으로 명시한 것이다.

버틀러는 — 논쟁의 여지가 있지만 — 페미니즘이 '여성'을 토대범주로 취하면 페미니즘이 명백하게 추구하는 목표를 거스르게 된다고 주장한다. 왜냐하면 '여성'이란 자연적인 통일성을 의미하지 않고 대신 규제적 상상물을 의미하기 때문이며, 이 상상물은 이성애를 자연적인 것으로 만드는 성^{sex}, 젠더, 욕망 사이의 규범적인 관계들을 의도치 않게 재생산한다. "젠더 정체성이 인지가능하게 되는 문화적 매트릭스는 특정한 종류의 '정체성들'은 '존재'할 수 없을 것을 요구한다 — 그 정체성들이란 젠더가 성을 따르지 않는, 욕망의 실천이 성이나 젠더를 '따르지' 않는 것들이다"(Butler, 1990:17). 동성애의 동성 욕망을 자연발생적인 것으로 만드는 — 이는 게이, 레즈비언 운동의 일반적 전략이다 — 대신 버틀러는 젠더 자체의 진실에 대해 의문을 제기하며 젠더 정체성에 어떤 식으로든 복무하는 것은 동성애적 주체의 정당화를 궁극적으로 거스르는 것이라고 주장한다.

젠더는 더 이상 연대를 위한 자연발생적 토대가 아니며, 버틀러에 의해 젠더는 문화적 상상물로, 반복적 행동이 만들어낸 수행적 효과로 재설정된다. "젠더는 몸을 반복적으로 특정 양식화한 것, 물질의 외향, 즉, 자연스러운 존재 유형의 외향을 생산하기 위해 오랫동안 굳어진 고도로 엄격한 규제적 틀 안에서 반복된 일련의 행동 세트다"(같은 글:33).

따라서, 젠더에 관한 한 '진정한' 것은 아무것도 없으며, 젠더를 확신시키는 기호를 생산하는 '핵심'이란 결코 없다. '젠더 표현 배후에 젠더 정체성이 없는' 이유는 '정체성이란 정체성의 결과라고 말해지는 바로 그 '표현들'에 의해 수행적으로 구성되는 것이기' 때문이다(같은 글:25). 이성애는, 스스로를 자연적인 것으로, 따라서 설명할 필요가 없는 것으로 통과시켜 버리는데, 버틀러에 의해 그것은 하나의 담론적 생산물로, 단순히 이성애를 묘사하는 것을 목적으로 했던 성/젠더 체계의 효과로 재구성되게 된다. 담론 전략의 중요성과 담론전략이 가진 수정주의적 잠재력의 중요성을 전면화한 푸코처럼 버틀러는 젠더를 '개입과 재의미화에 열려있는 … 진행 중에 있는 담론 실천'(같은 글:33)으로 규정한다. 규범적 젠더 모델과 이성애에 대한 버틀러의 전략적 재의미화는 '젠더의 '통일성'이란 강제적 이성애를 통해 젠더 정체성을 획일적으로 만들고자 하는 규제적 실천의 효과(같은 글: 31)가 되는 방식을 강조하는 식으로 젠더를 다시 등장시킴으로써 달성된다.

"어떤 종류의 전복적 반복이 정체성 자체의 규제적 실천에 의문을 제기할 수 있을까?"라고 버틀러는 묻는다(같은 글:32). 버틀러는 젠더의 실패 혹은 혼란─법을 굳히지는 않으나 그럼에도 불구하고 (권력의 생산적 측면을 강조한 푸코의 말을 기억하면) 법에 의해 생성되는 수행적 반복─은 젠더의 본질적 성격보다는 담론적 성격을 강조한다. 이성애는 규범적 젠더 정체성들이 수행적으로 반복됨으로써 자연적인 것처럼 된다. 버틀러는 성적 정체성들을 통합하는 그러한 과정들에 관심을 기울이게 만들 대안적 젠더를 수행적으로 반복함으로써 그러한 자연화에 도전해야 한다고 주장한다. 버틀러가 추천하는 전략들 중 하나는 젠더 규범들을 풍자적으로 반복하는 것이다. 풍자된 자체와 풍자된 원본 사이의 거리를 표식하는 대신 버틀러가 생각하는 풍자란 "원본이라는 바로 그 관념의" 풍자다(같은 글:138). 따라서 이성애는 더 이상 동성애가 열등하게 복사하는 원본으로 가정되지 않는다. 풍자를 일종의 저항전략으로서 제안하면서 버틀러는 젠더와 섹슈얼리티라는 영역계는 원본과 모방의 측면에서 조직되는 것이 아님을 입증하고자 한다. 젠더와 섹슈얼리티가 나타내는 것은 대신 – 비록 강도 높게 규제되지만 – 끝없는 수행성의 가능성들인 것이다.

젠더와 섹슈얼리티가 비자연발생적임을 집요하게 드러내면서 버틀러는 게이 해방운동과 레즈비언 페미니즘이 소중히 여겨왔던 많은 전제들에 의문을 제기하는데 공통성과 집단성에 대한 이들의 호소도 이에 포함되어 있다. 마이클 워너(Warner, 1992:19)는 "급진레즈비언 선언 Radicalesbian manifesto "과 버틀러의 작업을 비교하면서 그들 각각의 이론적 틀에 불연속적인 면이 있음을 지적한다.

급진레즈비언은 "레즈비언이란 무엇인가? 레즈비언은 폭발점에 응축된 모든 여성들의 분노다."라는 말로 선언문을 시작했다. 버틀러가 "레즈비언이란 무엇인가?"라는 이 질문이 답할 가치가 있는 것이라 설득된다면 버틀러는 "레즈비언은 풍자점에 응축된 젠더 이항주의와 이성애의 부조리다."라고 답 할런지 모른다.

버틀러는 법을 색다르게 반복하는 모든 수행성들에 관심을 가진 가운데 이성애 규범들을 게이 맥락 안에서 재굴절시키는 실천으로서의 드랙^{drag}에 초점을 맞춘다.

> 드랙은 '여성'이라는 통일된 상을 창조하는 것만큼이나 … 또한 이성애적 일관
> 성이라는 규제적 허구를 통해 통일된 것으로 잘못 자연화된 이런 젠더화된
> 경험의 측면들이 갖는 뚜렷한 특성도 드러낸다. **젠더를 모방하면서 드랙은**
> **암묵적으로 젠더 자체의─ 우발성 뿐만 아니라─ 모방적 구조를 드러낸다.** 사
> 실 쾌락의 한 부분인 수행의 현기증은 흔히 자연발생적이고 필수적이라고
> 전제되는 인과관계적 통일성이 문화적으로 설정됨에도 불구하고 성과 젠더
> 사이의 관계에 있는 급진적 우연성을 인식하는 데에서 온다(Butler, 1990:
> 137-8).

버틀러는 드랙이 본질적으로 전복적인 풍자라고 간주하지 않는다. 오히
려 말 그대로의 연극성 안에서 드랙은 특정한 젠더들과 섹슈얼리티들에
'자연성'과 '원본성'이라는 특성을 부여함으로써 특권을 부여하는 흔한
가정들을 해체하는 데에 효과적인 문화적 모델을 제시한다. 버틀러는
차라리 단호하게─ 버틀러의 작업에 대한 이후의 활용이 보여주듯 덜
기억될만하기는 하지만 ─ 그런 모든 문제적 젠더 수행들의 효능을 주장
하며 이 문제적 젠더 수행들이란 "과장, 불화, 내적 혼란, 증식을 통해
젠더 수행들을 동원시키는 바로 그 구성물들을 반복하고 대체하는 것이
다"라고 말한다(같은 글:31).
  버틀러의 수행성 관념은 과하게 유통된 측면이 있다. 어떨 때는 지나
가듯 언급되고 또 어떨 때는 보다 더 엄격한 방식으로 1990년대 레즈비

언, 게이 연구에 수행성 개념은 매우 생산적으로 활용되었다. 하지만 버틀러의 수행성 개념을 가장 자주 전유한 비평가들은 수행성을 수행으로 해석하고 성, 젠더, 욕망 사이의 관계들을 자의식적으로 심문하는 젠더의 극화된 상연에 집중한다. 예를 들어, 여성 남성성female masculinity에 관한 주디스 할버스탐Judith Halberstam(1994)의 작업이나 마돈나에 관한 캐티 슈위첸버그Cathy Schwichtenberg(1993)의 글, 남성 레즈비언male lesbian과 캠프camp에 관한 폴라 그래함Paula Graham(1995)의 작업에 수행성이 설정되어 있다. 수행성 개념이 이것들과 다른 자기 반영적 사례들을 포함하기는 하지만, 마찬가지로— 덜 분명해 보일지 몰라도— 가장 설명이 회피되고 있는 것처럼 보이는 일상에서의 젠더와 성적 정체성의 생산에 대해서도 설명하고 있다. 젠더가 수행적이라는 것은 그것이 주체가 의도적으로 그리고 장난스럽게 상정하는 것이기 때문이 아니라 되풀이를 통해 주체를 굳히는 것이기 때문이다. 이런 측면에서, 수행성은 주체의 전제조건이다.

이후 출간된 책인 『질료화되는 몸들Bodies That Matter』(1993a)에서 버틀러는 자신의 작업이 환원주의적으로 이용되는 것, 특히 수행성을 드랙의 측면에서 문자 그대로 그리고 연극적으로 보려는 경향에 대해 숙고한다. 버틀러에 의해 수행성의 한 예로서 소개된 드랙은 버틀러를 읽는 많은 독자들에 의해 '수행성의 본보기'로 여겨졌다. 그와 같이, 드랙은 '극적 행위자성에 대해 알리는 것이 꽤 중심이 되어 부상하고 있는 퀴어 운동의 정치적 필요를' 충족시켰다(Butler, 1993a :231). 젠더를 의도대로 수행되는 것으로 이해하는 이들과 거리를 두면서 버틀러는 "수행성은 마음

껏 발휘하는 것도 아니고 연극적 자기표현도 아니다. 수행과 단순히 등치될 수 있는 것도 아니다'라는 점을 강조한다(같은 글:95). 자신의 작업에 대한 이러한 지배적인 오독에 대항하기 위해– 그리고 수행성을 의지주의적으로 혹은 의도의 측면에서 사고하는 것을 막기 위해– 버틀러는 '구성됨constitutedness'과 '제약constraint'이라는 개념을 소개한다.

> 수행성은 반복가능성이라는 공정 밖에서는, 규칙화되고 제약받는 규범들의 반복 밖에서는 이해될 수 없다. 그리고 이 반복은 주체에 의해 수행되지 않는다. 이 반복은 주체를 가능하게 만들고 주체를 위해 현세적 조건을 구성하는 것이다. 이 반복가능성은 '수행'이 어떤 단일한 '행동'이나 사건이 아니라 의례화된 생산물임을, 제약 하에서, 제약을 통해, 그리고 금지와 금기 하에서, 금지와 금기를 통해, 생산물의 모양을 통제하고 강제하나, 주장하건데, 그것을 완전하게 미리 결정하지는 않는, 외면과 심지어 죽음의 위협과 함께 일어나는 의례적 반복됨이라는 것을 암시한다(같은 글).

버틀러는 젠더가, 수행적인데, 옷 입기 같은 것은 아니라는 사실, 따라서, 의지대로 입거나 혹은 벗을 수 없다는 사실을 반복한다. 젠더는 오히려 제약 당한다. 이는 젠더가 단순히 한계에 의해 구조화된다는 뜻에서가 아니라 (수행성이 의미를 갖게 되는 주어진 규제적 틀들을 고려할 때) 제약이 수행성의 전제조건이기 때문이다.

비록 버틀러는 주의깊게 자신의 반자발주의적 입장을 구체적으로 명시하지만– 그리고 수행성이 주체가 **하는** 어떤 것이 아니라 주체가 그것을 통해 **구성되는** 과정임을 강조하지만– 버틀러의 수행성 개념은 훨씬 복잡한 물적 조건들에 대한 순진한 해석이라는 비판을 받아왔다. 버틀러의 수행성 관념을 문자 그대로 해석하면서 쉴라 제프리스(Jeffreys, 1994: 461)는 수행성을 젠더화된 삶의 일상적 등록으로서가 아니라 유사연극성의 한 종류로 잘못 전달한다. "확실히 그것을 알아채지 않기는 어려울 것이다'라며 제프리스는 과장된 수사로, 또한 직관에 반한다고 할 정도로, "레즈비언을 여성성의 '수행성'에 기대고 있는 캠프와 퀴어라는 관념 안에 포함시키고자 할 때 문제는 발생한다'고 말한다. 그렇지만, 제프리스가 말하는 문제는 오로지 (버틀러가 의미하는) '수행성'이 가장이고 따라서 그 밑에 있는 젠더의 진실보다 덜 진실하다고 오해할 때에만 일어난다. 버틀러의 수행성이 갖는 이론적 의의는 **모든 젠더** — 단순히 자의식적으로 연극조로 극화하는 그런 것이 아니라— **가 수행적**이라는 것이다. 레즈비언은— 젠더 규범들의 반복을 통해 주체로 구성된 다른 어떤 집단들에 비해 덜하지도 더하지도 않게 딱 그만큼— 젠더를 '수행'하므로 버틀러의 수행성 개념에 기대고 있는 모델들 안에서 레즈비어니즘을 이론화하는 데에는 아무 문제가 없다.

제프리스는 버틀러에 대한 본인의 비판을 버틀러가 그와 같은 오해를 명시하면서 그것을 고쳐주고자 했던 바로 그 글에서 증거라고 가져와 집요하게 버틀러를 곡해한다. 버틀러(Butler, 1993b:21)가 특히 '젠더들이 제약 **하에서** 분리되고 위계화되는 젠더 차이들이라는 규제 체제의 **효과**인 한에 있어서 젠더는 수행적'이라고 분명히 설명하지만 제프리스(Jeffreys, 1993: 81)는 버틀러가 젠더를 이해하는 방식이 '권력관계들의 맥락에서 벗어나 있다'는 주장을 계속 한다. 제프리스는 또한 젠더를 수행적으로 이해하는 것의 잠재적 전복성에 대한 버틀러의 강조도 하찮은 것으로 치부한다.

> 여성이 같이 살고 있는 잔인한 남성에 의해 두드려 맞고 있을 때, 그것은 이 여성이 여성적인 젠더 외향을 수용해왔기 때문인가? 그날 이 여성이 남성적 젠더를 택해 작업복이나 가죽바지를 입고 거들먹거린다면 그것이 문제에 대한 해결책이 될까?(같은 글)

분명히 그에 대한 답은- 버틀러에게도 그리고 또한 제프리스에게도 마찬가지로- 아니다 이다. 버틀러(Butler, 1993b:22)가 "젠더 수행성은 오늘은 어떤 젠더가 될까 선택하는 문제가 아니다"라고 명확하게 주장하고 있다는 것을- 제프리스가 주목하지 않는다는 바로 그 때문에- 주목할 만하다. 제프리스는 반자발주의가 버틀러의 주장에서 강조되고 있음을 무시한다. 그 결과, 버틀러의 수행성 개념을 비판함에 있어 제프리스는 버틀러의 이론적 입장을 과잉 단순화할 뿐만 아니라 자신이 하고 있는 과잉단순화를 자신이 비난하고자 하는 이론적 입장의 결함으로 오인하고 있다.

버틀러의 텍스트에 더 많은 주의를 기울이고 그에 상응해 보다 더 설득력이 있는 글에서 캐트 웨스턴^Kath Weston(Weston, 1993:5)도 수행적인 것에 대한 버틀러의 강조를 비판한다. 웨스턴은 수행성 이론이 생산적인 측면이 있다고 여기기는 하지만 "이 틀이 레즈비언 관계의 젠더화가 갖는 복잡성을 충분히 이해하는 데에는 부적절하다"고 본다. 그렇지만 웨스턴의 비판도 또한 수행성을 자발적 연극성으로 보는 오독에 기대고 있다. 수행성은 '그것이 약속하는 개인적/정치적 자력강화에 충분하지 못하다고 — 또한 자력강화는 수행성이 약속하는 것이 아니므로 그럴 수도 있다고 — 결론내리면서 웨스턴은 옷장에 관한 수사 소개를 통해 젠더를 수행적으로 이해하는 것이 부적절하다고 보는 점을 전면화한다. 웨스턴은 "레즈비언이 오늘 저녁에 입을 옷을 결정하기 위해 옷장 문을 열 때 그녀가 얼마짜리 월급쟁이냐가 그 선택의 폭을 제한한다'(같은 글:14)고 쓰고 있다. 이 논평의 정확성에 대해서는 논쟁의 여지가 없다. 그럼에도 버틀러식의 수행성을 옷장 — 옷과 젠더 정체성을 상정하고 벗어버릴 끝없어 보이는 가능성 — 으로 축소하는 것은 심각한 오독이다. 웨스턴의 글 — "옷이 여성을 만드는가?" — 제목은, 수행성 이론에서 보면, 그렇다는 것을 함의한다. 그렇지만 버틀러는 — 우연히 같은 어휘로 만들어진 구절에서 — 그렇지 않다고 단호히 말한다. "『젠더 트러블』은 우연하게도 "옷이 여성을 만든다'는 주장을 폈던 상당수의 출판물들과 같은 시기에 출판되었지만 나는 결코 한 번도 젠더가 옷과 같은 것이라거나 옷이 여성을 만든다고 생각하지 않았다'고 말이다(Butler, 1993a:231).

수행성은 '인간 의지의 효과적인 언어 표현'(같은 글:187)이 아니라는 것을 이해하면서 엘리자베스 그로츠Elizabeth Grosz(Grosz, 1994a:139)는 "젠더는 성이라는 기구축된 토대 — 어느 정도 고정된 보편적 기층基層substratum의 문화적 변형 — 위에 있는 일종의 덧씌워진 층으로 이해되어야만 한다"는 것을 근거로 수행성에서 젠더의 중심역할에 이의를 제기한다. 이런 식으로 젠더를 특징지은 결과로 그로츠는 수행성에 대한 버틀러의 설명은 사실 성sex에 초점을 맞추는 것이 맞다고 주장한다. "버틀러의 이미 강력한 주장의 힘은 어떤 면에서는 성의 차원을 넘어서는 용어로 형성된 극Play 대신에, 몸 자체의 젠더 순으로, 성 자체의 불안정성에 초점을 맞춘다면, 내가 믿기로는, 더 강력해 질 것이다"(같은 글:140). 그와 같은 초점의 변화는 "바로 성과 몸의 핵심에 불안정성이 있다는, 몸은 행하는 역량이라는, 어떤 몸이든 그에 있는 행할 역량은 주어진 문화의 허용범위를 훨씬 넘어선다"(같은 글)는 사실에 주목을 끌어당겨 성을 비자연발생적인 것으로 만들어 낼 것이다. 그 성─역사적으로 젠더보다 더 '자연적'인 것으로 이론화되어 왔던 범주─이 비자연적인 것이라 제안하는 것은 가치있는 일이다. 그런데 버틀러의 작업은 그로츠가 용인하는 이상으로 버틀러 자신의 작업에 더 가까웠다. 버틀러는 부인할 수 없을 만큼 젠더에 우선순위를 부여하지만, 그로츠가 제안하듯, 보다 더 토대적인 의미에서의 성에 반대된 것으로 젠더를 동원하지 않는다. 오히려 버틀러는 그와 같은 성의 구체화에 대해 명쾌하게 질문한다.

만약 불변하는 성의 특성이 경합된다면 아마도 '성'이라고 불리는 이 구성물은 젠더만큼이나 문화적으로 구성된 것일 것이다. 사실, 아마 그것은 이미 항상 젠더였고, 그 결과 성과 젠더 사이에는 사실상 구분이 없는 것이 된다. 그러니, 성 자체가 젠더화된 범주라면 젠더를 성에 대한 문화적 해석이라 규정하는 것은 전혀 말이 되지 않는다. 젠더는 단순히 주어진 성에 문화적인 의미가 새겨진 것으로 구상되어서는 안 된다. … [왜냐하면 젠더는] 바로 그 생산 장치를 표기해야 하고 이에 의해 성들sexes 자체가 구축되기 때문이다(Butler, 1990:7).

이른바 불변하는 성의 특성에 이의를 제기하면서 버틀러(같은 글:6-7)는 다음과 같은 질문을 한다.

> 그리고 대체 무엇이 '성sex'인가? 자연발생적인, 해부학적인, 염색체적인, 혹은 호르몬적인 것이 성인가? 그리고 그와 같은 '사실들'을 구축하는 것이 요지인 과학 담론에 대한 페미니스트적 비평은 어떠한가? 성은 역사를 갖는가? 각 성은 서로 다른 역사 혹은 역사들을 갖는가? 성의 이원성이 어떻게 구축되었는지에 대한 역사, 이항적 선택이 가변적 구성물이라 폭로할지도 모를 계보학이 있는가? 표면상으로 자연적인 성에 관한 사실들은 정치적, 사회적으로 다른 이해관계에 복무하는 다양한 과학 담론에 의해 담론적으로 생산되는가?

성과 젠더의 구분으로 흔히 가정되는 것을 거부하면서, 그리고 둘 사이의 차이를 구조짓는 이른바 인과적인 관계들을 해체하면서 버틀러는 -그로츠처럼- '성의 핵심에 있는 불안정성'을 전면화한다.

수행성에 관한 논쟁은 성, 젠더, 섹슈얼리티, 몸 그리고 정체성을 비자연발생화하는 압력을 가한다. 해석모델로 확산되면서 - 그리고 경합과 협상을 조건으로 - 수행성은 우리가 살고 있는 정체성 범주들이 우리의 지식과 이 세계에서의 매일매일의 존재방식을 결정하도록 만드는 과정들에 새롭게 개입하도록 해왔다. 정체성을 해체하려는 버틀러의 철저한 노력은 레즈비언, 게이 연구에서 정체성의 효능에 대해 의심을 갖기 시작했다는 것에서, "'게이' 정체성에 대한 위기'(Cohen, 1991:82)에서 가장 분명해 보인다. 버틀러의 비판을 따라, 동성애는 - 이성애처럼 - 의미실천의 효과로서, 특정한 몸들에 집중되는 '정체성 효과로서 이해된다.

즉, "'동성애'는 '여성'과 마찬가지로 '자연발생적인 어떤 종'을 가리키는 이름이 아니다'라며 데이빗 헬퍼린(Halperin, 1995:45)은 설명한다. "사실주의realism로 알려진 인식론적 체제 하에서 대상으로 오인되어 왔던 것은 바로 담론적, 동성애 혐오적 구성물이다." 분류에 대한 이러한 깊은 의심의 결과로, 정체성 범주는 정체성에 대한 주장으로써 전복시키려 했던 바로 그 구조에 연루되어 있다고 인식되게 되었다. 버틀러(Butler, 1991:13 −14)에게 "정체성 범주는 규제 체제의 도구가 되기 쉽다. 억압적 구조의 정상화 범주로서 그러하든 아니면 바로 그 억압과의 해방적 경합을 위한 계기로서 그러하든." 집단 정체성의 행사는 이전에는 정치적 개입을 위한 전제조건이라 여겨졌었지만 이제는 그것이 공언했던 의도를 초과하여 순환을 실행한다고 통상 이해된다.

정체성을 확신하고, '커밍아웃'을 부추기며, '자긍심'의 조직적인 영향력 아래에서 동성애를 선언하는 해방주의자들 혹은 소수민족집단 모델의 게이, 레즈비언들과 극명한 대비를 이루며 1990년대 레즈비언, 게이 연구는 정체성 범주와 그것이 약속하는 단합과 정치적 효력에 대해 질문하고 이에 저항하기 시작했다. 게이, 레즈비언 정체성 정치와 관련하여 다이애나 퍼스(Fuss, 1989:100)가 주장했던 '위태로운 정체성 상태에 대한 인식과 육체적 그리고 사회적 모두에서의 복잡한 정체성 형성과정에 대한 온전한 자각'은 이제 일반적으로 퀴어적 실천과 이론을 뒷받침하고 있다. '레즈비언'과 '게이'라는 범주 둘 다 심지어 비판적 담론과 정치적 실천을 위해 동원될 때조차도 자주 심문받고 비자연화 된다. 에드 코헨Ed Cohen(Cohen, 1991:72)은 '게이 남성'이라는 범주와 동일시할 때 자신이 갖게 되는 어려움에 대해 쓰고 있는데 이는 이 용어에 내포된 집단성에 대한 주장이 설득력이 없다고 보기 때문이다. 코헨은 "'우리'의 친화성을 공통의 '섹슈얼리티' 행사에 근거시킴으로써 우리는 절대 침범할 수 없는 공통성 또는 이론의 여지가 없는 섹슈얼리티라는 상상된 확실성으로부터 우리가 욕망하는 일관성을 약화시키는 어떠한 '내적' 모순들도 검토하지 않은 채 내버려 두는 데에 암묵적으로 동의한다"고 말한다. 유사하게, 버틀러(Butler, 1991:14)는 자신이 비판하고 있는 바로 그 어휘들과 자신을 동일시하는 듯 보이게 만든 『레즈비언 이론들, 게이 이론들*Lesbian Theories, Gay Theories*』이라는 부제가 달린 한 선집을 위해 글을 쓰면서 이에 대해 자신이 가졌던 양가적 감정에 대해 논하는데 "나는 '나'가 레즈비언 기호 표제 하에서 작동하면서 어떻게 결정되는가에 대해 회의적이었고 '게이 혹은 레즈비언 공동체'의 다른 성원들이 제안하는 규범적 정의들에 대해서 만큼이나 '나'가 동성애혐오적으로 결정되는 것에 대해서도 편하지 않았다"고 쓰고 있다. '정체성', '섹슈얼리티' 등과 같은 자명해 보이는 범주들을 비자연적인 것으로 드러내려는 고군분투의 노력들은 버틀러와 코엔 둘 다 '우리의', '섹슈얼리티', '나', '게이와 레즈비언 공동체'에서처럼 인용기호에 의존하여 작업했던 것에서 알 수 있다. 같은 전략이 '레즈비언'을 항상 인용부호 안에 넣는 발레리 트롭(Traub, 1995)에 의해서도 끈질기게 취해졌다.

해방주의자와 소수민족집단 모델의 동성애 양측 모두에서 옹호받는 그런 식의 정체성의 정치에 대해 널리 퍼져있는 불만은 새로운 규범성에 대한 저항감에 의해서만이 아니라, 데이빗 핼퍼린(Halperin, 1995:32)의 지적에서 보이듯, 정체성과 권력의 상호작동에 대한 보다 더 정치한 인식에 의해서도 만들어졌다.

> 해방에 대한 각성은 게이의 삶이 자체적인 규율 체제를, 의무적인 머리모양, 티셔츠, 식습관, 몸에 구멍 내기(피어씽), 가죽 장신구, 신체운동 같은 형태의 자체적인 규범화 기술을 만들어 냈다는 인식이 확산되면서 단순히 진척된 [것이 아닌] 것이다. … 궁극적으로, 내 생각에는, 해방주의 모델의 게이 정치로부터의 변화가 반영하는 것은 이성애중심주의적 특권의 토대들을 유지하고 재생하는 방법으로 성적 의미의 생산을 결정하고 개개인들의 생각을 세세하게 관리하는 담론구조들과 재현체계들에 대한 이해가 심화되었다는 것이다.

레즈비언과 게이 정체성들을 지키는 것이 어떻게 의도하지 않게 레즈비언들과 게이남성들이 계획에 따라 대립해 왔던 이성애적 헤게모니를 재강화할 수도 있는지에 대한 '깊은 이해'는 정체성의 진정성에 질문을 던지는 분석 모델을, 특히, 안전한 정체성과 효과적인 정치학 사이의 추정된 인과관계를 비판하는 분석모델을 수용할 절대적 필요성을— 심지어 수용하고자 하는 의지를— 만들어 냈다.

레즈비언과 게이 정치학을 위한 이와 같은 비판의 함의는 다음과 같은 다이애나 퍼스(Fuss, 1989:100)의 질문에 채택되어 있다.

> 정치가 정체성에 근거하는가? 아니면 정체성이 정치에 근거하는가? 정체성은 자연발생적인 구성물인가? 정치적이며 역사적인 구성물인가? 육체적인 구성물인가? 아니면 언어적 구성물인가? '정체성'의 해체가 정체성 정치를 옹호하는 이들에게 함의하는 것은 무엇인가? 페미니스트, 게이 혹은 레즈비언 주체

들이 통일되고 안정적인 정체성이라는 관념을 필요로 하지 않을 여력이 있는가? 아니면 정치를 정체성이 아닌 다른 것에 기반을 두기 시작해야만 하는가? 다른 말로 한다면, '정체성의 정치'의 정치학이란 무엇인가?

퍼스가 이러한 질문을 했을 당시는 퀴어가 자기신분확인을 위해 사용되는 대중적인 용어가 아니었지만 최근의 사용에서는 퍼스가 여기서 제기하는 정체성, 공동체 그리고 정치라는 사안들에 자주 영향받고 있다. 레즈비언, 게이 정체성에 대한 유사한 검토는 주체성과 개인 혹은 집단 정체성, 최근 재작업된 주체 위치들의 실용적 고착화와 배치, 그리고 일반적으로는 섹슈얼리티를, 보다 특정하게는 동성애를 범주화하는 다양한 용어들의 담론적 형성에 대해 주의를 기울일 때 후기구조주의적인 비판에 퀴어가 개입하는 것에서 볼 수 있다.

HIV/에이즈 담론

후기구조주의 이론이 퀴어 맥락의 한 부분이라 주장될 수 있다면 구별 용어로서의 퀴어의 부상은 학계 밖에서의 – 그러나 학계와 별개가 아닌 – 발전에 타당히 연결될 수 있다. 이런 면에서 퀴어에 가장 자주 인용되는 맥락은 에이즈의 유행으로 생성된 행동주의와 이론의 연계망인데, 이 연계망의 부분은 퀴어가 포용력있는 지시어이고 정치적 개입에 있어 충분히 확신에 차있다는 것을 발견했다. 이런 측면에서 퀴어는 '급진적 행동주의의 쇄신을 촉발시켰던 에이즈 위기'(Seidman, 1994:172)에 대한 응답으로서 뿐만 아니라 '에이즈에 대한 대중의 태도로 불거진 점증하고 있던 동성애 혐오'(Greed, 1994:152)에 대한 응답으로도 이해된다. 어떤 일련의 효과들이 – 에이즈의 유행을 둘러싸고 유통되면서 – 퀴어 수사 하에서 생산된 새로운 정치조직, 교육, 이론화의 형태들이 필요하도록 만들었고 동시에 이에 양분을 제공했는가? 이 질문에 대한 적절한 대답은 다음을 염두에 두어야만 한다.

• 주체 혹은 개인의 지위가 에이즈를 구축하는 생의료적 담론 안에서 문제화되는 방식들(Haraway, 1989)

• 성 정체성들보다 성적 실천을 강조하는 것으로의 – 안전한 성에 대한 교육의 영향을 입은 – 전환(Bartos et al., 1993:69-72; Dowsett, 1991:5)

• 에이즈를 게이병으로 여기는 끈질긴 오해(Meyer, 1991: 275)와 동성애를 일종의 죽을 운명으로 여기는 끈질긴 오해(Hanson, 1991; Nunokawa, 1991:311-16)

• 정체성을 본질로서보다는 친화성의 측면에서 재고하는 많은 에이즈 행동주의의 연합 정치(Saalfield and Navarro, 1991)와 이로써 레즈비언과 게이 남성뿐만 아니라 양성애자, 성전환인, 성노동자, 에이즈 감염인, 보건 종사자, 게이의 부모와 친구도 포함하는 연합 정치

• 담론은 분리된 혹은 부차적 '현실'이 아니라는 것에 대한 긴급한 인식과 HIV와 에이즈에 대한 지배적인 묘사에 대한 저항과 그것을 다른 방식으로 재현하는 것에서의 경합에 대한 결과적 강조(Edelman, 1994: 79-92)

• 전염병학, 과학적 연구, 공중보건, 이주 정책을 둘러싼 평행-교차적 투쟁

안에서의 권력 작동에 대한 전통적 이해 방식의 재고(Halperin, 1995:28)

이것들은 에이즈의 유행이 식별 범주들, 권력과 지식에 가하는 다방면적 압력들 중 그저 일부분이다. 이것이 가능성을 부여하는 강력한 용어로서의 퀴어의 부상과 갖는 관계는 결코 우연은 아니다.

에이즈의 유행에 대한— 정부의, 의료계의, 과학계의, 활동가들의, 이론적인— 반응들이 중요한 용어로서의 퀴어가 부상했던 조건들을 만든 데에 전적인 책임을 질 수는 없지만 HIV/에이즈가 구성되는 지배적인 방식을 거부할 긴급한 필요는 당대의 레즈비언, 게이 정치의 급진적 수정을 재강제했다. 게이, 레즈비언 운동의— 내부 차이에 대한 부적절한 관심과 다른 해방운동들과 효과적으로 연합하지 못한 무능함과 같은— 역사적 실패 혹은 한계에 대해 언급하면서 더글라스 크림프^{Douglas Crimp}(Crimp, 1993:314)는 "에이즈 위기는 우리로 하여금 분리주의와 해방주의 모두의 결과와 직면하도록 했다. '퀴어'라는 말이 새로운 정치적 정체성들을 가리킨다고 주장되도록 한 것은 바로 이러한 새로운 정치적 국면 안에서였다"고 말한다. 퀴어에 의해 가능해진 '새로운 정치적 정체성들'은 매우 자주 에이즈를 똑같이 이상하게 여겨지게 하는 범주들을 비자연화하려는 의도를 갖는다. 토마스 잉링^{Thomas Yingling}(Yingling, 1991:292)은 다음과 같이 본다. 퀴어처럼,

에이즈의 물질적 결과는 당시에는— 우리 인식론의 건강과 면역성을 유지시키는— 서구 사상 체계를 전적으로 위협할 수 있어 보인 정체성, 정의, 욕망, 지식 등에 대한 수많은 우리의 문화적 가정들을 격감시킨 것이다. 에이즈가

심리에 미친 것은 자기인식 체계로부터 비체화되기를 거부하는 정체성과 차이의 붕괴다.

'정체성과 차이의 붕괴'에 대한 유사한 인식을 가지고 리 에들먼Lee Edelman(Edelman, 1994:96)은 퀴어와 에이즈가 각각 죽음과 주체에 대한 포스트모던한 이해방식을 통해 정연화되었고, 둘 다 정체성을 신기하게도 양가적인 장으로 이해하기 때문에 상호 연결되어 있다고 주장한다. "그렇다면 '에이즈'는 주체성들의 사회적 형성 혹은 접합에서 불거진 위기로– 이로써 이를 위한 기회로– 설정될 수 있다"는 것이다. 에이즈가 주체성 자체의 문화적 그리고 정신적 구성을 급진적으로 재고하는 것을 가능하게 하는– 그리고 때때로 요구하는– 한 에들먼은 에이즈에서 개조된 주체성에 대한 약속을 보며 이것이 정체성뿐만 아니라 정치, 공동체, 그리고 행위자성이라는 현재적 관념들을 재정연화할 것이라고 본다.

> 우리는 [억압적인 문화] 논리를 대체할 기회를 가지고 있고 포스트모던 주체가 **될**지도 모르는 선택의 폭을 접합하기 시작한다. 다시 말해, 우리는, 안드레아 후이센Andreas Huyssen이 포스트모더니즘이 꼭 그래야 한다고 제안하듯, 주체성에 대한 다른 대안적인 관념을 발전시킴으로써 '(남성, 백인, 중산계급 [그리고 후이센은 쓰지 않았지만 꼭 덧붙여야 할, 이성애자]) **주체라는 이데올로기**'에 저항할 기회를 가지고 있다(같은 글:111).

아마 이 맥락 안에서는 놀랄 것도 없이, 에들먼은 "게이 주체의 그 같은 변이는 상당 부분에서 '게이'가 '퀴어'로 재기입 되고 있는 과정에서 이미 볼 수 있다”고 결론 내린다(같은 글:113).

 ‘퀴어’ 개념이 가장 많이 쓰이는 경우는 의심할 것도 없이 에이즈 운동에서였는데 에이즈 운동은 차례로 성적 정체성이 재구축되는 가장 가시적인 장 중 하나가 되어왔다. 새로운 탈중심적 운동과 정체성을 고착화하지 않으면서 그것에 대한 관심을 유발시킬 수 있는 개념으로서 퀴어가 두드러지게 된 것 사이의 관계는 인과적이라기보다는 맥락적이다. 주체성과 정체성을 어떻게 다르게 재설정할 것인지에 대한 (한때 레즈비언, 게이 맥락에서 있었던) 논쟁은 확실히 에이즈 위기로 인해 생성된 새로운 응급상황으로 인해 부분적으로 재강화되기도 하고 부분적으로 촉발되기도 한다. 그럼에도, 정체성에 대한 논쟁과 사회 변혁을 보장하는 가장 효과적인 방식에 대한 논쟁들은 후기구조주의, 페미니즘, 그리고 탈식민주의의 발전에, 덜 엄청나게라면, 적어도 똑같이는 힘을 받아왔다. 이 모든 것들이 안정된 정체성이라는 관념에 – 단순히 이 관념이 허구이기 때문이 아니라 그것이 대표한다고 주장하는 이해관계 당사자들의 이해에 반하는 허구이기 때문에 – 도전해 왔다.

퀴어 정체성

 비자연화 작업에 전념하는 정도를 고려해 볼 때, 퀴어 자체는 토대가 되는 논리도, 일관된 일련의 특징도 가질 수 없다. 데이빗 핼퍼린 (Halperin, 1995:62, 강조는 원문그대로)은 **“퀴어가 필수적으로 참조하는 어떤 특정한 것이란 없다”**고 쓰고 있다. “퀴어는 일종의 본질없는 정체성이다." 이 근본적인 불확정성이 퀴어를 어려운 연구 대상으로 만든다. 항상 모호하고 항상 관계적이라서 '대체로 직관적이고 절반만 정연화되는 이론'으로 설명되어 왔다(Warner, 1992:19). 퀴어의 모호함은 자주 퀴어를 동원하는 이유가 된다. 퀴어를 '모든 비-(반-, 대응-)일반straight 문화적 생산과 수용의 측면을 표현하기 위한 유연한 공간을 표식하는' 개념으로 정의하면서 알렉산더 도티Alexander Doty(Doty, 1993:3, 2)는 자신도 '어떤 모호성을 가진 개념, 양성애적, 성전환적, 일반의 퀴어스러움을 설명하고 표현할 수 있는 여지를 포함하여 광범위한 충동과 문화적 표현들을 묘사할 용어를 찾고자' 하는 한 퀴어가 매력적이라고 본다. 퀴어는 분류범주들과 그것들을 유지시키는 반대항과 동류항을 해체함으로써 성 정체성에 대한 관습적인 인식에 질문을 던진다고 널리 알려져 있다(Hennessy, 1994:94). 그럼에도, "'퀴어'가 정확히 무엇을 의미하는지 혹은 포함하는지 혹은 가리키는지는 결코 쉽게 말할 수 없다"(Abelove, 1993:20). 부분적으로 퀴어는 필수적으로 비확정적이기 때문에, 세즈윅은 최근 인터뷰에서 스스로를 퀴어라고 부르는 것은 "스스로 자신을 무엇이라고 부르는지와 다른 사람들이 자신을 무엇이라고 부르는지 사이의 차이를 극적으로 보여준다. 어떤 의미에서 퀴어는 오직 일인칭에서만 쓰일 수 있다'고 주장한다(Hodges, 1994). 퀴어가 기술적descriptive 용어로 흔히 유통되고 있음에도 불구하고 퀴어는 오직 자기기술적일 수 있을 뿐이라는 세즈윅의 도발적인 제안은 퀴어가 다른 사람들의 특성에 대한 실증적 관찰에 관해 말하는 것이라기보다는 자기식별self-identification을 가리킨다는 점을 강조한다.

퀴어가 발전해 나왔던 레즈비언과 게이 모델보다도 훨씬 더 퀴어는 계획에 따른 설명을 회피하는데 이는 각각 다른 맥락 안에서 퀴어가 각각 다르게 평가되기 때문이다. 종종 '레즈비언과 게이'라는 무거운 말을 대신하는 편리한 약칭으로 쓰이기 때문에 '퀴어'는 교열기자들에게 요긴하다. 게이, 레즈비언 공동체 신문들에서 '레즈비언과 게이'를 대신하여 더 선호되는 그것의 동의어로서 '퀴어'를 쓰려는 열의를 보면 알 수 있다. 스티븐 엔젤리데스Stephen Angelides(Angelides, 1994:68)는 다음과 같이 발견하였다.

> 두 개의 호주 레즈비언, 게이 신문들―<멜버른 스타 옵저버Melbourne Star Observer>와 <시드니 스타 옵저버Sydney Star Observer>― 몇 쪽만 대충 훑어보면 퀴어라는 용어가 이런 맥락에서 쓰이는 정도를 뚜렷하게 볼 수 있다. '퀴어 만화부터 퀴어 영화와 '퀴어하게 말하기'라는 코너와 같은 편집자에게 보내는 독자의 글에 이르기까지 신문은 구체적으로 레즈비언과 게이 공동체를 가리키는 퀴어라는 말로 가득 차 있다.

유사하게, 최근의 책들도 『퀴어하게 음색내기: 새 레즈비언 게이 음악학 *Queering the Pitch: The New Lesbian and Gay Musicology*』(Brett et al., 1994)과 『퀴어 로맨스: 레즈비언, 게이 남성, 그리고 대중문화*A Queer Romance: Lesbians, Gay Men and Popular Culture*』(Burston and Richardson, 1995)같은 제목에서처럼 퀴어를 선호한다. 또 다른 때는, 레즈비언과 게이 공동체에 대한 관습적인 관념들을 뒷받침하는 정체성 정치로부터 비판적 거리를 두고 있다는 것을 가리키기 위해 퀴어가 배치되기도 한다. 이 측면에서 퀴어는 고정되고 일관되며 자연적인 것으로서의 정체성의 중단을 가리킨다. 그러나 퀴어는 또한 <퀴어 나라>(8장을 볼 것)의 몇몇 경우에서처럼 한결같고 자기동일한 다른 종류의 정체성을 의미하기 위해 쓰일 수도 있다. 여기서 퀴어는 정체성 범주에 대한 후기구조주의적 비판을 피하면서 이론적 개념으로서보다는 유행 같은 것으로 기능한다. 구시대적 레즈비언과 게이를 새로운 스타일과 구분하는 방법으로 사용되며 이 구분은 정체성의 형성에 대한 다양한 이해방식을 역사적으로 보는 것이기보다는, 예를 들어, 몸에 구멍 뚫기(피어씽)같은 외향적인 유행이 되는 것이다. 때로 퀴어는 열린 지지층을 설명하기 위해 사용될 수도 있는데 이 지지층이 공유하는 특성이란 정체성 자체가 아니라 섹슈얼리티에 대해 반규범적 입장을 가지고 있다는 것뿐일 수 있다. 이런 방식으로 퀴어는 공동체와 정체성과의 동일시가 상대적으로 최근의 적법성을 표시하는 레즈비언과 게이 남성을 배제할 수도 있으나 성적 신분이 규범적이라고 간주되지 않거나 인정되지 않는 모든 이들을 포함할 수 있다.

계획했던 것을 상당히 보증하고 있는 수행성 이론처럼 퀴어도 비자연화를 가장 기본적인 전략으로 택한다. 퀴어는 '동성애와 실질적으로 동일하면서도 대단하게도 … 정상적인 것과 병적인 것, 일반적인 것과 게이적인 것, 남성적인 남성과 여성적인 여성이라는 익숙한 구분에 저항하는 전 범위적 성적 가능성들을 제시하는 영역계'를 가리킨다(Hanson, 1993:138). 초기 게이해방주의처럼 퀴어는 성적 규범성을 허가하는 범주들이 틀렸음을 입증한다. 퀴어는 자유롭고 자연적이며 태곳적인 섹슈얼리티를 발견하거나 발명하려는 망상을 피함으로써 그것의 전임자들과 차별화한다. 마이클 워너(Warner, 1993a: xxvi)가 '관용의 소수화적 논리 또는 단순한 정치적 이해 대변'이라 부른 것을 거부하고 대신 '정상이라는 체제에 대한 보다 철저한 저항'을 선호함으로써 퀴어는 섹슈얼리티가 하나의 담론적 효과라는 인식을 입증한다. 퀴어는 스스로에게 어떤 구체적인 물질성이나 긍정성을 상정해 주지 않으므로 퀴어가 다르다고 여기는 것에 대한 퀴어의 저항은 대항적이기보다는 반드시 관계적이다.

퀴어는 대개 성적인 부분을 점하려는 경향이 있어 왔다. 그렇지만, 최근 징후는 퀴어의 비자연화 프로젝트가 성과 젠더가 아닌 신분의 다른 축들을 품게 되었음을 보여준다. 퀴어를 '반동화주의와 반분리주의' 둘 다로 설명하면서 로즈메리 헤너씨(Hennessy, 1994:86-7)는 퀴어 프로젝트가 '동성-이성 이항대립에 의해 억눌려 왔던 차이와 침묵들로부터 그것에 대해 말하려는 노력들, 레즈비언과 게이 섹슈얼리티가 이성애, 인종, 젠더, 그리고 민족성에 의해 굴절되는 복잡한 방식을 포함하여 '레즈비언'과 '게이'라는 단일한 정체성들을 풀어헤치려는 노력들'을 표시한다고 주장한다. 세즈윅(Sedgwick, 1993a:9)은 최근 작업에서 퀴어가 외부를 향해 회전하고 있다고 보면서 이보다 더 강력한 주장을 한다.

> (퀴어는) 젠더와 섹슈얼리티에 결코 포함될 수 없는 차원들을 따라 (바깥을 향해 돌고 있다). 예를 들면, 인종, 민족성, 탈식민적 시민성이 이들 **그리고 다른** 정체성-구성적인, 정체성-분절적인 담론들과 교차하는 방식으로 말이다. 성적 자기규정이 '퀴어'를 포함하는 유색인 지식인들과 예술가들은 … 언어, 피부, 이주, 국가라는 분열적인 복잡성에 새로운 종류의 정의를 행하기 위하여 '퀴어'라는 지렛점을 활용하고 있다.

어떤 이들은 퀴어가 유럽 중심적 편견을 깔고 있고 그런 편견이 대체로 정체성에 토대를 둔 민족공동체들의 정치학에 퀴어가 둔감하도록 만든다고 불평을 하지만(Maggenti, 1991; Malinowitz, 1993), 세즈윅이 여기에서 참고하고 있는 최근 작업은 퀴어의 비자연화 충동이 퀴어가 무관심해 왔다고 판단되는 정확히 바로 그 맥락들 안에서 꽤 잘 접합될 수도 있다는 것을 보여준다.

분명히, 일반적으로 받아들여질 수 있는 퀴어의 정의란 없다. 사실 이 용어에 대한 흔한 이해들은 많은 경우 서로 해결될 수 없이 모순된다. 그럼에도 불구하고, 정체성, 공동체, 그리고 정치에 대한 지금까지 받아들여져 온 이해방식에 가장 차질을 주는 것으로 증명된 퀴어의 변화는 성, 젠더, 섹슈얼리티의 규범적 통합을 문제화한다는 그것이다. 그리고 그 결과 그 같은 통합으로부터 '자연적으로' 진전되어 왔다고 믿어지는 모든 종류의 정체성, 공동체, 정치에 대해 비판적이라는 그것이다. 어떤 구체적인 형태로도 결정되지 않으려 함으로써 퀴어는 정상성을 구성하는 것은 어떤 것이든 그것에 대해 저항적인 관계를 유지한다. 퀴어가 의미하는 복합적이고 심지어 모순된 장들을 염두에 두면서 **퀴어 이론**은 퀴어의 이러한 점, 그리고 세즈윅(Sedgwick, 1993a:8)이 '누군가의 젠더 구성 요소들이, 섹슈얼리티 구성 요소들이 단일하게 어떤 것을 의미하도록 만들어지지 않는 (혹은 만들어**질 수 없는**) 곳에서 의미들의 가능성들, 틈들, 겹침들, 불화들과 공명들, 실수들과 지나침들의 열린 연계망이라고 부른 것에 에너지를 쏟는 분석적 압력을 강조한다.

8. 퀴어 안의 경합들
Contestations of Queer

퀴어는 20세기 게이, 레즈비언 정치와 학문의 논리적 발전으로 설명될 수 있지만 그것의 진전이 아무런 논쟁이 되지 않은 적이 없었다. 잠재적으로 무한한 수의 비규범적 주체 위치들의 수렴점으로서 퀴어는 고정되고 따라서 불가피하게 배타주의적인 정체성 안에 발을 딛고 있는 전통적인 정치 운동과는 뚜렷하게 달랐다. 정체성 범주들의 경계를 늘이는 데 있어서 그리고 다양한 형태의 주변화된 성적 신분들 사이의 차이를 무시하는 듯 보인다는 데 있어서 퀴어는 어떤 부분은 충만해지게끔 만들었지만 다른 부분에서는 불안과 격분을 초래하기도 하였다. 이 용어를 둘러싼 다양한 경합들은 퀴어의 야망과 한계를 분명히 하면서 퀴어의 영향과 기여를 보여준다.

정체성 범주들의 자명한 지위에 대한 퀴어의 회의주의는 퀴어는 그저 비정치적이라거나 심지어 반동적인 지성의 형태라고 생각하는 이들로부터 혐의를 받도록 만들었다. 극단적인 한 예로서, 수잔 올페[Susan J.

Wolfe와 줄리아 페넬로페**Julia Penelope**(Wolfe & Penelope, 1993:5)는 정체성의 불안정화를 명백히 동성애혐오적인 전략으로 규정하면서 자신들이 최근 펴낸 레즈비언 문화비평 선집을 소개한다.

> 우리는 (후기구조주의가 그것의 새로운 변종일 뿐인) 특권화된 가부장적 담론이 레즈비언들이 오직 최근에 와서야 구축하기 시작했을 뿐인 집단 정체성을 없애버리도록 허용할 여력이 [없다] … 해체주의적 담론이, 최소한 학계 '페미니스트' 담론에, 편입되어 낳은 결과는 사실 **레즈비언**이라는 말이, 사용되건 언급되건, 인용부호 안에 처리되고 있다는 것, 그리고 진짜 레즈비언들의 존재가 또 다시 부인되고 있다는 것이다.

자명해 보이는 정체성 범주들에 이견을 제시하는 질문에 대한 그 같은 반대는 거의 총칭적으로 상식에 호소한다. 레즈비언 정체성의 안정성과 담론외적 요소는 "20여 년 전에는 별일이 아니어 보일만큼 분명할 수도 있었던 사실이 후기구조주의 사상에 의해 도전받고 있다"고 불만을 토로하는 올페와 페넬로페(같은 글:9)에 의해 당연한 것으로 받아들여진다. " '상식' 담론과 현대 이론은 서로에게서 점점 멀어지고 있는 듯 보인다"는 보니 짐머멘**Bonnie Zimmerman**의 염려스러운 의견은 덜 공격적이다(Palmer, 1993:6 재인용). 테리 캐슬**Terry Castle**(Castle, 1993:13)도 "(소위 퀴어 이론가라고 불리는 이들을 포함해) 대륙 철학 훈련을 받은 특히 젊은 레즈비언, 게이 학자들 사이에서 퀴어가, 해체주의를 중심으로, **레즈비언** 혹은 **게이** 혹은 **커밍아웃**과 같은 용어들이 갖는 바로 그 유의미함에 대해 논쟁하는 것이 최근 인기를 끌고 있다"며 이를 비판하면서 보니와 유사한 불안감을 표출한다. "우리는 **레즈비언**이라는 말이 여전히 의미를 갖는 세상에서 살고 있다. 그 말을 자주, 심지어 아름답고 열정적으로 사용하는 것은 가능하며 또한 여전히 이해될 수 있다"고 주장하면서 캐슬은 레즈비언의 자명함을 레즈비언 형상에 대한 자신의 초역사적 연구의 토대로 삼는다(같은 글:14). 그러나 발레리 트롭(Traub, 1995:99)은 캐슬의 관점을 비판하면서 그와 같은 주장은 상식에 대한 호소가 갖는 이데올로기적 측면을 간과하는 것이라고 주장한다.

> '평범한', '일반적' 측면에서, '레즈비언'이 무엇인지(『15명의 허깨비 같은 레즈비언*Apparitional Lesbian 15*』) 누구나 알고 있다는 가정, 그리고 그 같은 안정된 지식에 기반하여 누구나 시간과 문화를 거스르는 연결성을 만들 수 있다는 가정은 그런 지식이 혹자가 자율적인 주장을 펴게 되는 하나의 입장이 아니라 규범화 담론의 결과라는 인식을 가린다.

모두가 이미 알고 있는 것에 의존하는 것은 지적으로는 아니지만 수사적으로는 설득력이 있다. 현대 이론에서 비판되고 있는 것은 바로 자연적인 것, 분명한 것, 당연하게 받아들여지는 것이라는 관념 자체다. 리 에들먼(Edelman, 1994:xviii)은 "소위 '상식'에 호소하는 것은 동성애혐오가 기대고 있고 '자연적'인 것의 실체화[구체화]를 재강화하며 이로써 이성애 우월주의와 연루되어 있는 이데올로기적 노동에 참여하는 것이다"라고 쓰고 있다. 상식을 정하는 것은 위험한 게 아니라면 순진한 일이다. 상식담론과 일치하는 지식의 형성이 분석을 넘어서는 어떤 진실을 드러내는 것으로 귀결되지 않기 때문이다. 오히려, 지식과 상식의 수렴은 검토되지 않은 이데올로기적 구조들이 작동하도록 허가하는 것으로 이해하는 것이 더 나을 것이다.

레즈비언, 게이 정체성의 최근의 퀴어화에 대한 또 다른 흔한 반대는 정치적 효능에 초점을 둔다. 정체성의 자명한 지위에 의문을 제기하는 것은 (그렇게 논쟁이 되어 가는데) 지적인 측면에서는 설명가능할지 모르지만 그것이 비정치적 수용주의를 독려하기 때문에 옹호의 여지는 없다. 이런 평가에서는, 우선적으로 정체성의 정치에 합리성을 제공하는 – 말하자면, 일관되고 통일된 정체성은 효과적인 정치적 행동의 전제조건이라는– 가정은 정체성의 보류에 대한 비판도 또한 구축한다. 그렇지만, 레즈비언과 게이에 대한 전통적인 이해방식에 대한 맹렬한 재작업이 효과적인 정치적 행동을 구성하는 것을 재평가하는 가운데 이제 1970년대의 정체성 정치 스타일로 보이는 것에 대한 최근의 도전이 정치라는 관념 자체를 무가치한 것으로 만들지는 않는다. "정체성의 해체는 정치의 해체가 아니다"라고 버틀러는 지적한다. "오히려, 정체성의 해체는 정체성을 조합시키는 바로 그 용어들을 정치적인 것으로 만들어 내는 것이다"(Butler, 1990:148).

가장 단순하게 퀴어를 반대하는 입장은 아마도 퀴어가 대변하는 이들 중 일부일 것이라고 기대되고 그럼에도 아직은 퀴어에 의해 호명되지 않거나 그 새로운 범주가 그들을 설명하거나 대변한다고 설득되지 않은 이들로부터 제기된다. 종종 '게이 세대 차이'라는 말로 설명되는 이런 반대는 한때 경멸적인 용어였던 것을 긍정적인 자기규정 용어로 받아들일 수 없는 이들로부터 나온다(Reed, 1993). 이런 논쟁은 많은 부분 비공식적이고, 심지어 일화적이다. 최근 <퀴어 연구 목록^{Queer Studies List}>이 퀴어 정체성의 상정에 대해 인터넷에서 토론했을 때 어떤 게시글은 그것을 수용하자는 쪽에서 올라왔고 다른 쪽은 그것에 반대하였다. 어떤 이들은 자신을 퀴어라 부르는 것을 좋아했지만 다른 이들은 그것을 거부했는데 어떤 응답자는 이런 식의 명명법에 대해 자신이 갖게 된 양가적 감정을 토로하기도 하였다. "'그' 말을 들을 때마다 나는 힘을 느끼고 싶고 그 말을 직접 쓰고 싶다. 대신, 내 감정은 상처를 입는다. 나는 60년대 후반과 70년대 초반에 사춘기를 보냈다. 나는 그것을 넘어설 것이다. 나보다 어린 게이 친구들은 이제 계집애^{faggot}라는 말을 쓰고 있다. 웩!"(D'Arc, 1995). 퀴어에 대한 다양한 반응을 담으면서 스티븐 조네스 ^{Stephen Jones}(Jones, 1992:26)도 이 새 용어의 감지된 매력에 비슷한 불안을 내비쳤다. 조네스는 "현대적 게이 남성으로 보이기 위해 지난 2년 동안 나는 나를 퀴어라고 설명해야 한다는 압력을 점점 더 많이 느껴왔다. 나는 자의식적으로 그렇게 했고 우리가 아직 퀴어 정치와 문화에 대해 공통된 이해를 하고 있다는 확신이 없었다'고 말한다. 어떤 게이 남성들과 레즈비언들이 스스로를 명백히 퀴어로 규정하는 것을 꺼린다는 것은 범주들이 동의어가 아니라는 것을 보여준다. 세즈윅(Sedgwick, 1993b:13)은 "절대 퀴어라고 말하지 않을 레즈비언과 게이도 있고 동성 간 에로티시즘을 별로 경험하지 않고도 혹은 동성 간 에로티시즘을 굳이 레즈비언이나 게이 같은 정체성 이름표를 통해 경험하지 않고도 퀴어 코드에 반응을 보이는 사람들도 있다'고 말한다.

퀴어를 자기규정 용어로 받아들이거나 거부하는 이들은 종종 퀴어의 정치적 유용성에 대한 신념에서 대립하게 된다. 새 용어 제안자들은 퀴어가 자긍심을 형상하는 용어가 되게끔 재배치하는 것은 강력한 문화적 교정 행동이며 이전 시기 번창했던 동성애 혐오적 맥락에서부터 퀴어를 빼내는 것은 전략적으로 유용하다고 주장한다. '다이크^{dyke}'라는 말이 학대적 의미에서 자기주장이 강하다는 의미로, 다시 레즈비언 정체성을 의례 일컫는 편한 말로 그 뜻이 변화해 온 선례를 인용하면서 퀴어 옹호자들은 명명법에서의 변화가 문화적 가정과 지식에 영향을 줄 수 있고 심지어 그것을 변화시킬 수 있다고 주장한다. 그렇지만, 새 용어의 반대자들은 단순히 퀴어의 의미론적 가치를 바꾸는 것은 하나의 증상을 어떤 질병으로 오인하는 것이라고 지적한다. 이들은 설사 퀴어의 재의미화가 성공적으로 귀결된다 하더라도, 다른 말이나 신조어가 한때 퀴어가 했던 문화적 작업을 대신 할 것이라고 주장한다. 결국, 다이크라는 용어의 성공적 중화가 레즈비언에 대한 차별을 끝내지는 않았다.

양쪽 주장 모두 들어볼 가치가 있다. 퀴어를 긍정적인 자기설명어로 확산시킴으로써 얻어지는 사회적 변혁이 어떠한 것이든 그 변화는 절대적이지 않을 것이고 논쟁의 여지가 없는 것도 아닐 것이다. 비록 퀴어가 새로운 세대에 의해 전유되어 왔고 이 세대는 머뭇거림도 없이 자신들을 퀴어로 인식하지만 동성애혐오가 말도 안 되는 것으로 여겨지거나 그 혐오가 표현되고 이해될 수 있도록 하는 인지 가능한 어휘가 사라지는 상태가 오지는 않을 것이다. 그럼에도, 줄리아 파나비^{Julia Parnaby}(Parnaby, 1993:14)와 같은 비평가들은 퀴어의 재의미화는 순전히 언어적이기 때문에 공허한 몸짓이라고 생각한다는 사실에도 불구하고, 어느 쪽도 퀴어를 둘러 싼 의미론적 싸움이 무용하다는 것은 아니라고 주장한다.

'퀴어'를 하나의 이름으로 회수해 오는 것은 단순히 그렇게 함으로써 그것에 있던 동성애적 힘을 벗겨낸다는 가정에, 그리하여 세상을 퀴어들에게 혹독한 곳이 아니라 퀴어를 혹독히 대하는 이들에게 혹독한 곳으로 바꾸어 놓는다는 가정에 기반을 두고 있다. 이것은 말의 의미가 그 말이 개개인들에 의해 쓰일 때마다 끊임없이 재규정되고 따라서 우리가 그 말을 우리가 원하는 것을 의미하도록 만들 수 있다고 하는 언어에 관한 후기구조주의적 주장의 직접적 결과물이다.

파나비는 퀴어를 평가절하하는데 이는 후기구조주의자들이 의미생산을 임의적이라고 (즉, 맥락에 의존한다고) 설명할 때 그것은 의미생산이 곧 의지적이라는 (즉, 개별적인 진술 주체에 의해 결정되는 것이라는) 뜻이라고 파나비가 잘못 생각하고 있기 때문이다. 낱말이 단순히 우리가 그것이 의미하기를 바라는 대로 의미하는 것이 아니기는 하지만 그 같은 이름붙이기가 단순히 오래된 현실에 대한 새로운 설명은 아니다. 퀴어라는 말은 변화된 젠더와 섹슈얼리티 모델에 색인을 다는 것이기 때문에 – 그리고 어느 정도는 그것을 구성하기 때문에 – 그것의 배치를 둘러싼 의미론적 투쟁은 결코 무의미하지 않다.

경멸적인 의미의 퀴어가 정치적 교정 시도에도 불구하고 살아남을 것이라는 우려도 있다. 퀴어의 호소력의 상당부분이 심지어 레즈비언과 게이라는 말로 얻어낸 제한된 적법성마저 거부하는 데에서 나온다는 것을 고려하면 상당히 그래 보인다. 퀴어가 순전히 설명적 용어로서 정말 중립화된다면 퀴어가 현재 추진하고 있는 비자연화 문화작업은 목표를 달성하지 못하게 될 것이다. 세즈윅(Sedgwick, 1993a:4)에 따르면 퀴어의 항상 경멸적인 취약점은 퀴어가 가진 가장 소중한 특징 중 하나일 것이다.

> 활동가들이 스스로 '퀴어'를 쓰는 것을 왜 그토록 불안해하는지 그 주된 이유는 어떤 정도의 긍정적 교정도 그 말로부터 수치심, 젠더 불화라는 끔찍한 무력감, 혹은 낙인찍혀 보냈던 아동기에 대한 생각을 떼어내는 데 성공할 길이 없기 때문이다. 퀴어가 정치적으로 강력한 개념이라면, 사실 강력한데, 그것은 퀴어가 아동기 수치심의 원천으로부터 분리될 능력과는 거리가 멀어서 거의 무궁무진한 변혁 에너지의 원천인 그 장면과 굳게 결합되어 있기 때문이다.

퀴어가 '정상성이라는 체제에 대한 저항'을 뜻하는 한, 길들여지는 것에 대한 퀴어의 면역성은 규범성의 기준과 비판적 관계를 유지할 수 있는 능력을 보장해 준다(Warner, 1993a:xxvi).

'퀴어가 계속해서 도착과 비합법성을 함축할 것이라는 불안은 퀴어의 수용이 정치적으로 반생산적인 태도'라고 주장하게끔 만들었다. 사이먼 와트니(Watney, 1992:18)는 '퀴어를 사용하는 것은 그저 현존하는 편견에 연료를 공급하게 될 뿐'이라면서 '심지어 퀴어의 사용은 차별과 폭력의 증가로 귀결될 것이다'라고 쓰고 있다. 최근까지도 저속한 은어 계통에서 쓰였던 말을 재의미화하고자 선택하는 데 대한 반대는 퀴어 주창자들이 레즈비언과 게이가 겪는 아픔과 불공평에 대해 공감하는 사람들로부터 스스로와 자신들이 주장하는 사안을 소외시킨다고 본다. 캠피언 뤼드 Campion Reed는 퀴어의 사용을 옹호하는 것은 '그저 이성애자들에게 비하할 수 있는 언어를 갖도록 더 큰 허가를 내주는 것일 뿐'이라고 생각하며 정치인들이 의회에서 '퀴어들'과 '계집남자들'에 대해 토론하는 것을 상상할 수 없어한다(Angelides, 1994:83 재인용). 퀴어의 이름 하에 정치적 변화를 추구하는 이들은 이런 류의 주장을 참기 어려워하는데 정치적 개입이 그 개입이 대립하고 있는 바로 그 체제의 제약을 받는 한 정치적 성공은 불가피하게 제한적일 수밖에 없다는 것을 이해하기 때문이다. 그들은 레즈비언과 게이들이 얻어낸 정당화에서 초기 게이 해방운동의 급진적 기원을 팔아먹고 배신했다는 증거가 있으므로 그것은 본보기 삼아지지 말아야 한다고 주장한다. 민주적으로 승인된 구조라는 수단으로 사회 변화를 이룩하려고 전념하는 레즈비언과 게이들은 퀴어는 효과를 만들기에는 정치적으로 너무 순진하고 이상적이라며 혐의를 제기한다. 실제 권력 기구에 대해 무지해서 퀴어는 자신들이 옹호하는 주변화된 위치로부터 어떤 것도 이룩해 낼 수 없을 것이라는 것이다.

각 입장에 근거해 주장을 펴는 주장자들은 상대 입장의 정치학과 정치적 전략이 갖는 한계 둘 다에 대해 비판적이다. 퀴어 원칙을 중심으로 모인 이들은 레즈비언과 게이들이 이룩해낸 어떤 성과든 언제든 보다 더 거대한 체계를 그들이 묵인함으로 인해 축소될 것이라고 예견한다. 한편, 레즈비언과 게이들은 퀴어의 요구가 아무에게도 들리지 않을 것이며 누구도 움직이게 하지 못할 것인데 이는 이 요구들이 적법한 권력제도를 통해 유통되지 않기 때문이라고 예측한다. 서로의 차이에도 불구하고 레즈비언과 게이 측 주장과 퀴어 측 주장 둘 다 정치를 같은 방식으로 이해하고 있는데 양측 모두 특정 전략의 정치가 그것이 실행되기도 전에 이미 자명하다고 상상하고 있다. 이것은 꽤나 흔한 추정이고 두 집단에서만 있는 특징도 아니다. 그럼에도 불구하고─ 그리고 특히 이런 추정이 광범위하게 그리고 무비판적으로 받아들여지고 있기 때문에, 최소한이 아니라─ 정치에 대한 이런 식의 이해는 주의를 요한다. 다이애나 퍼스(Fuss, 1989:105)가 주장하듯 "정치는 … 현재의 정치적 이론화에 상당히 존재하는 궁지를 대변한다." 그리고 "행동주의를 나타내는 것이 가장 덜 행동적으로 질문된다." 정치를 어떤 식의 주어진 개입이 가지고 있는 본질적인─ 알려지고 평가된─ 자질로 생각하는 대신 특정 전략으로 귀결된 것일 뿐만 아니라 그 전략이, 임의적이 아니라면, 그렇다면 예상치 못한 방식으로 꼭 맞물리게 된 맥락의 결과로서 존재하게 된 것으로 생각하는 것이 아마 보다 더 적절할 것이다. 그렇다면 정치는 '일련의 효과들이고 최초의 원인도 최종적인 결정요인도 아닌 것'으로 보다 더 도움이 되는 방식으로 이해될 수 있을 것이다(Fuss, 1989:106). 퀴어는 이렇게 개방된 정치의 건설에 민감한데 이는 퀴어가 스스로를 비고정된 것으로, 현재는 결코 알 수 없는 잠재성을 가진 공간을 열어놓고 있는 것으로 여겨지기 때문이다.

1990년대 <퀴어 나라>라는 슬로건 아래에서 활동했던 북미 활동가들의 쟁쟁한 모습은 퀴어 민족주의에 대해 결정적인 관심을 끌어 모았다. <퀴어 나라>의 기원과 목적을 기록하면서 알렉산더 치[Alexander Chee] (Chee, 1991:15)는 <퀴어 나라>의 급격한 부상이 1990년 4월에 시작하여

'여름 중반 무렵 『마을 목소리*Village Voice*』의 첫 면'에 실렸고 "몇 주 만에 무명에서 유명인사 스캔들 쪽으로 옮겨갔다'고 적고 있다. 당시 모인 대부분의 퀴어들은 나라라는 개념에 의존하지 않았지만 <퀴어 나라>는 " '퀴어'라는 기표를 전국적으로 홍보함으로써 미국에서 퀴어를 대중화하는 데에 기여했다'고 평가받는다(Hennessy, 1994:86). 어쩌면 다른 나라의 맥락에서는 퀴어를 미국화하는 데에 기여했다고 보일 수도 있다. 데이빗 필립스David Phillips(Phillips, 1994:16)는 이에 대해 "'퀴어'의 약력을 다소 냉소적으로 보는 호주에서는 그것을 사용하는 것은 또 하나의 반사적인 미국 흉내내기의 예라고 주장할 수 있다'고 본다. 허쉬펠드Hirschfeld의 '제3의 성'이나 <레즈비언 나라> 분리주의자들, 소수민족집단 모델의 레즈비언, 게이 정체성 등과 같은 다양한 발로에서 증명되듯 민족주의는 레즈비언, 게이 정치학의 역사적 발전시기 동안 오래토록 이를 조직하는 수사가 되어왔다(Duggan, 1992:16). 1990년 뉴욕에서 개최된 <액트업ACT UP> 회의에서 형성된 <퀴어 나라>는 '어떤 이름이나 헌장 혹은 취지 선언문도 없이 … 시작되었다'(Chee, 1991:15). 그렇지만 민족주의의 요청은 균질성과 단결이라는 문제적 관념을 구현하려는 경향이 있다. 이런 측면에서 <퀴어 나라>는 데이빗 필립스(Phillips, 1994: 17)로 하여금 그것을 모순된 형성물로 존재하는 것처럼 여기게 했는데 '기원과 차이에 대한 소수민족집단 모델과 본질주의적 정체성 모델을 해체하고자 하는 이론적 작업을 융합시키려 하기' 때문이다(Zimmerman, 1995 비교).

데이빗 핼퍼린(Halperin, 1995:63)은 <퀴어 나라>가 <액트업>의 전략들을 많은 부분 전유하여 오로지 '다른 모든 사안을 제외한 오직 성적 지향만으로 규정된 젊은 레즈비언, 게이 급진주의자들의 운동'을 만들려는 <액트업> 보다도 덜 퀴어적이라고 묘사하면서 <퀴어 나라>에 대한 그와 같은 평가를 재강화한다. 비슷하게, 리사 더건(Duggan, 1992: 21)은 "<퀴어 나라>는, 어떤 이들에게는, 그냥 단순히 게이 민족주의 조직이다"라고 주장한다. 그럼에도, 어떤 이들은, 퀴어다움을 국민성과 나란히 놓음으로써, <퀴어 나라>가 국민됨에 대한 보수적이고 본질주의적인 인식을 성공적으로 비자연화 했다고 주장한다(Brasell, 1995). 결과적으로, <퀴어 나라>는 '복합적이고 애매모호한' 국가 개념을 생산하고 그 개념들은 "'국가적인 것the national'을 캠프camp스럽게 굴절되게 만든다." 그리고 그 개념들은 "국민 대중의 자기표현에 대한 합의가 근대 국가 정체성의 기반을 세운다고 할 때, 그런 국민 대중을 위치시키는 것에서 오는 난점을 활용한다"(Berlant and Freeman, 1992:152,151). 퀴어적으로 '국민성'을 이해한다는 것은 국가를 '새롭게 규정된 정치체로서, 경계들을 보다 잘 횡단할 수 있고 보다 더 유동적인 정체성을 구축할 수 있는' 잠재력을 가지고 있는 것으로서 재설정하는 것이지만 <퀴어 나라>는 국민성을 덜 진보적으로 이해한다는 비판을 받는다(Duggan, 1992:21). 퀴어 국민성에 대한 길고 대체로 호의적인 분석글에서 벌란트와 프리맨(Berlant and Freeman, 1992:170)은 <퀴어 나라>의 "캠페인은 적어도 아직은… 미국 민족주의 자체를 특징짓는 화려함과 균질성이라는 환상을 그냥 버려두고 나아가지는 않고 있다'고 결론짓는다. 헨리 에이브러브(Abelove, 1993:26)는 솔트 레이크 시Salt Lake City <퀴어 나라>법 작성에 본인이 개입한 부분을 논의한 후 "<퀴어 나라>라는 이름은 무슨 말인가? 나는 이 이름의 의미가 이 주제에 대해 논의한 대다수가 생각하는 것만큼 신비하거나 어려운 것이 아니라고 생각한다. <퀴어 나라>가 진정 의미하는 것은 바로 미국이다'라고 순진하게 결론내리면서 이를 퀴어와 미국적 민족주의의 융합이라고 규정한다. 벌런트와 프리맨(Berlant and Freeman, 같은 글:171)은 <퀴어 나라>가 민족주의를 미국다움이라는 보다 더 인식하기 쉬운 버전에서 떼어내는 데 실패했다고 주장한다. "'퀴어'가 시민들이 가질 수 있는 유일한 '이질적' 반군 정체성이라고 가정하는 한 <퀴어 나라>는 미국 시민권이라는 총칭적인 논리와 공식적 형식주의의 지평 – 성적 대상 선택을 개인의 자아 정체성과 동일한 것으로 두는 것 – 에 얽매여 있을 수밖에 없다'는 것이다. 퀴어 정체성을 국민 정체성이라는 틀 내부에 – 고정되고 안정되며 알려져 있는 것으로서 – 재설치하는 것은 급진적으로 비자연화하는 퀴어의 잠재력을 온전히 성취시키지 않는다.

퀴어의 성공은 그것이 광범위하게 받아들여지고 있다는 측면에서 평가되지만, 이 점이 어떤 이들에게는 오히려 불안을 야기하는 것이기도 했다. 퀴어가 발빠르게 인기를 얻는 것에 대한 폭넓은 비판이 있어왔는데 이러한 비판은 특히 내용보다는 스타일의 측면에서 퀴어가 '후기근대적 상품 물신주의로서의 정체성 정치학 버전'을 만들었다고 생각하는 이들에 의해 제기되었다(Edelman, 1994:114). 도널드 모튼(Morton, 1993b: 151)은 그 같은 보그스러움vogueishness이 "퀴어다움이라는 관념 자체를 '라이프스타일' 이상 아무것도 아닌 것으로, 특정한 방식으로 말하기, 걷기, 먹기, 입기, 머리 모양 만들기, 성행위 하기 이상 아무것도 아닌 것으로 축소시킴으로써 하찮은 것으로 만들고 있다'고 불만을 토로한다. 학계를 퀴어화하는 것도 똑같이 신속한 과정으로 이루어졌다. 마이클 워너(Warner, 1992:18)는 "학계는 지금 퀴어 이론을 하나의 운동으로서 이야기하고 있다. 2년 전만해도 퀴어라는 말을 콧등으로 흘려들었을 것이다'고 적고 있다.

퀴어가 이렇듯 손쉽고 신속하게 제도화될 수 있다면 급진적 비판성을 유지할 수 없을 것이라는 의혹이 있다. 도널드 모튼(Morton, 1993a:123)에 따르면 "오늘날 퀴어 이론의 '꿈같은' 성공은 바로 진보적 변화라는 학계의 지배적 수사를 퀴어 이론이 포용하고 기리는 경향을 가지고 있음으로써 가능해진다." 로즈메리 헤너씨(Hennessy, 1994:105)는 후기 자본주의적 조건 안에서 퀴어는 헤게모니적 포스트모던 문화를 통합하기 위해 전유당하고 있는 중이라고 주장한다. "정체성과 차이에 대한 자연화된 관념에 대해 메디슨 거리Madison Avenue와 월스트리트Wall Street에서 제기되는 도전은 전위적 퀴어 이론과 공통된 이데올로기에 소속되어있다." 게다가 학계에서의 퀴어의 급격한 확산이 대체로 더 오래되고 더 천천히 구축되었던 레즈비언, 게이 연구 모델의 측면에서 설명될 수 있지만 퀴어 이론은 종종 정치적인 것보다는 제도적인 것에 더 많은 가치를 두는 것으로 묘사된다. 퀴어의 전문직화는 퀴어 학자로서 대학 내에서 직업경력을 쌓고 있는 상대적으로 극소수의 개인들에게 대부분의 혜택을 가져다주었다(Malinowitz, 1993:172). 이러한 혐의는 점점 더 전문화되는 퀴어 이론의 어휘들과 분석 모델에 대한 불안에서 표명되는데 이 둘 모두 퀴어 이론가들이 대학 밖 어떤 공동체에 대해서도 책임을 지지 않는다는 증거로 채택된다. 말리노위츠(같은 글)는 이를 수정하는 일은 '바로 지금' 이어야 한다고 다음과 같이 불만을 토로한다.

명망있는 학문 기관들에 의해 과잉 대변되어, 자기들끼리 논문을 요청하고 발표하는 폐쇄된 회로에 의존해, 완본사전들도 아직 채 따라 잡아 싣지도 않은 후기구조주의 어휘들을 사용하면서, 심하게 자기들끼리 상호인용하고 압도적으로 백인 중심적인 퀴어 이론가 네트워크는 종종 우리 대다수는 들어가 살 능력이 되지 못하는 주택단지 내 거주자 전용 클럽을 닮아있다.

최근의 몇몇 이론적 작업들을 검토하면서 쉐리 패리스^{Sherri Paris}(Paris, 1993: 988)는 퀴어 이론이 엘리트주의적이고 접근불가능하다는 기본적인 비판을 제기한다. "이것은 배고프지도 않고 춥지도 않은 사람들, 세상을 컴퓨터 화면을 통해 들여다보며 그 표면을 마치 플로피 디스크처럼 끝없이 재설정시키면서 편안하게 이론화를 할 수 있는 사람들에 의해, 몸을 넘어서는 지점으로부터 만들어진 정치학이다"라고 말이다. 패리스는 지식인들의 특권은 자신들이 분석 허가를 가지고 있다고 느끼는 그 '현실'로부터 자신들을 보호하는 것이라 말해진다며, 지식인들이 가진 낯익은 특징을 재연한다. 그렇지만 패리스의 비판은 또한 이론과 정치, 개인과 공동체, 전문성과 책임의 연속성과 비연속성이 모두 토의되는 퀴어 이론 안에서 특히 논쟁이 된 사안들을 제기하고 있기도 하다.

퀴어 이론의 발전을 높이 평가하지만 스톤월 이후의 이론화가 공동체들과 보다 더 접속해 있기를 바라는 글에서 제프리 에스코피어^{Jeffrey Escoffier}는 미국에서의 레즈비언, 게이 연구의 발전에 대해 평가한다. 에

스코피어는 레즈비언, 게이 연구는 처음 기층의 정치적 행동으로부터 (혹은 심지어 그것과 연계하여) 발전하였지만 '레즈비언, 게이 연구의 대학 내에서의 성공적인 제도화는 새로운 학자 세대의 발흥을 가져왔고 이 새로운 세대의 관심은 사회적인 것보다는 텍스트 중심적이고 '그 계통에서 지식인적 지위를 구축하는 데에 주로 관심을 가지고 있는' 이들이라고 본다(Escoffier, 1990:41, 47). 퀴어 이론이 '누구도 대변하지 못하고 지적으로 편협해'지는 것을 피하려면 "퀴어 이론이 존재할 정치적, 사회적 조건들을 낳은 공동체들과의 대화를 레즈비언, 게이 연구가 지속해 가야만 한다"(같은 글:48). 그렇지만, 퀴어 이론이 하는 일은 정치와 공동체에 대한 레즈비언, 게이 연구의 약속을 단순히 이행하지 않는 것이 아니라 그와 같은 개념들이 마치 자명하고 반론될 수 없도록 여겨지게 하는 지식에 의문을 제기하는 것임을 주지해야 한다. 이때 에스코피어(같은 글:40)는 많은 퀴어 이론가들이 문제시하고자 하는 바인 이론과 정치 사이의 구분에 의존하여 "게이, 레즈비언 연구의 성장은 학문 분과로서 레즈비언과 게이의 정치적 투쟁과 구조적인 유대를 갖지 않고도 존재해야 하는지, 혹은 존재할 수 있는지 검토하도록 강제한다"고 쓰고 있다.

레즈비언 공동체와 게이 공동체 — 이에 대한 책임감이 요청되고 있는 학자들과 구분되는 한에 있어서 규정가능해지는 공동체 — 가 있다는 관념이 퀴어 이론이 질문하고 있는 것이다. 나아가, 이 질문은 그 공동체가 어디에 — 반지식인적 수사가 믿을 만한 것이라면 그 곳은 길 위일 것이다 — 위치할 것인지에 대한 단순한 질문이 아니라 어떻게 그 개입이 학문적 작업이 부인되는 방식으로 '정치적'이 되는가에 대한 질문이다. 어떻게 권력과 저항이 다중적 네트워크들을 가로지르며 미리 짜여지지 않은 효과를 낳는지에 대한 푸코의 설명을 따르면, 글을 쓰는 것이나 혹은 분석틀을 개발하는 것이 피켓을 들거나 정부에 서한을 써 보내거나 시위나 행진을 조직하는 등과 같이 모호하지 않게 정치적인 것으로 레즈비언, 게이 진영에서 오랫동안 인정받아왔던 다른 다채로운 몸짓들보다 덜 효과적이라고 결코 말할 수 없다. 더욱이, 설사 퀴어 이론가들이 특정 공동체의 관심사를 대변해야 한다는 책임감을 느낀다 할지라도 퀴어 이론이 서로 다른 비전문가 독자층에게도 독해 가능할 것이라는 기대는 퀴어 이론이 착수하게 될지 모를 비자연화 작업의 범위를 제한하게 될 것이다(Edelman, 1994:xvi-xviii).

아마도 퀴어를 사용한 것 중 가장 논란이 많은 것이 서로를 아우르는 집단성이 비규범적인 성적 실천 혹은 정체성에 서로 관여해 있다는 것으로 동의될 뿐인 상이한 주체들을 포괄하는 총칭어로 그것을 사용하는 경우일 것이다.[11] 가장 광범위하게 쓰일 때 퀴어는 레즈비언과 게이만을 가리키는 것이 아니라 또한– 이것도 다가 아닌데– 트랜스섹슈얼과 트랜스젠더 그리고 양성애자들도 설명한다. 루이스 슬론Louise Sloan이 '차이의 공동체라는 모순어법적인 공동체'라고 불렀듯이(Duggan, 1992:19 재인용) 퀴어는 사람들 사이에 자신들의 근본적인 차이를 불허하지 않는다는 공통성을 상정한다. 그럼에도 어디에나 존재하는 퀴어는 그 용어가 '포섭과 비정치화 능력'(Grosz, 1995:249)으로 악명이 높은 자유주의적 다원주의에 의해 점유되거나 '성적 불특정화sexual despecification'라는 집요한 '태곳적 불안'에 의해 삭제될(Halperin, 1995:65) 가능성을 불러일으킨다. 리오 버싸니^Leo Bersani^(Bersani, 1995:71, 73)는 퀴어가 레즈비언과 게이의 비명시라는 '몹시 익숙한, 그리고 순전히 자유주의적인 버전'과 그리다르지 않은 '비게이화' 효과를 갖는다고 설명하면서 이 두 사안 모두에 대한 우려를 제기한다. 퀴어의 개방성은 많은 이들에게 환영을 받아 왔지만 퀴어가 레즈비언과 게이보다 더 급진적인 것이라는 이에 이은 주장은 비판을 받아왔다. 예를 들어, 데이빗 필립스(Phillips, 1994:16)는 다음과 같이 항의한다.

> 퀴어의 포함주의 야망 – 즉, 게이와 레즈비언, 트랜스젠더주의자 뿐만 아니라 심지어 '일반인과 동일시하는 퀴어' 등을 포함해 대변하려는 시도 – 는 이들 다양한 집단들의 특정한 정치적 정체성, 요구, 의제들을 없애버리는 효과를 가져왔을 뿐만 아니라 또한 그렇게 함으로써 퀴어가 (동성 간 성적 실천에 근거하는) 게이나 레즈비언 같은 특정한 자기규정자들이 부인됨으로써 새로이 벽장에 갇힌 이들을 만드는 효과도 가져왔다.

퀴어의 총체주의적 태도는 레즈비언과 게이의 특수성에 반하여 작동할 수 있는 그리고 대체로 레즈비언과 게이 비평가들이 발전시켜 온 동성애 혐오와 이성애중심주의에 대한 분석을 폄하할 수 있는 잠재성을 가지고 있어 보인다.

퀴어의 잠재적 무한성은 또 다른 불안을 형성시켰는데 그것은 식별범주로서의 레즈비언과 게이가 가진 효능을 중화시킬 것이라는 불안 그리고 퀴어의 유연성이 레즈비언과 게이 남성들을 반동성애혐오 정치에 전념하는지가 논란이 되는 이들과 연결시킬 것이라는 불안이다. 엘리자베스 그로츠(Grosz, 1995:249-50)는 퀴어가 가진 호소력 중 일부분은 '퀴어'라는 용어가 무엇을 가리키는 지에 대한 모호성'이지만 퀴어가 가리키는 것 중 어떤 것들은 퀴어를 위험한 정치적 범주로 만든다고 인정한다.

> '퀴어'가 수용력을 가지고 있는 한편, '레즈비언과 게이'는 지지층을 단도직입적으로 접합시킬 수 있는 장점이 있고 의심할 것 없이 가까운 미래에 가장 노골적이고 극단적인 이성애적 그리고 가부장적 권력 게임 형태 중 많은 것들에 정치적 근거와 범위를 제공해 줄 것이다. 그들도 어떤 면에서 퀴어하고 박해받고 배척당한다. 가학성애적 이성애자들, 소년성애적 이성애자들, 페티쉬적 이성애자들, 포르노애호 이성애자들, 이성애자 포주들, 관음증적 이성애자들도 사회적 제재로 인해 고통 받는다. 어떤 면에서 그들 또한 억압받는다고 볼 수 있다. 그러나 그것이 레즈비언과 게이에 대한 억압 혹은 여성이나 인종에 대한 억압과 같은 억압이라고 주장하는 것은 그와 같은 '일탈적 섹슈얼리티'라 불리는 것이 가부장적이고 이성애중심적인 권력관계 안에서 하게 되는 매우 현실적인 공모와 이에 주어지는 남근적 보상을 간과하는 하는 것이다.

레즈비언들과 게이 남성들에 의해 전통적으로 조성된 대체적으로는 진보적인 정치학과 상반된다고 이해되는 성적 실천 혹은 정체성을 표방하는 이들의 이해관계를 위해 퀴어가 정치적으로 동원될 수도 있다는 가능성은 확실히 종종 퀴어 모델이 가지고 있는 주요한 결함으로 여겨진다. 그런데 대다수가 그 범주에서 소아성애자를 지명하지만 어떤 집단이 레즈비언과 게이의 친화력을 퀴어와 정치적으로 타협시킬 것인지에 대한 합의는 거의 없다. 한편, 데이빗 핼퍼린(Halperin, 1995:62)은 퀴어가 "예를 들어, 아이가 없는 기혼 커플이나 심지어 (누가 알겠나?) 아이가– 아마도 매우 외설적인 아이가– 있는 기혼 커플마저 포함할 수도 있다" 고 쓰고 있다. 그로츠는 다른 곳에서 소년성애자와 양성애자를, 또 다른 면에서, 레즈비언과 게이의 퀴어 조직화를 복잡하게 만드는 이들로 지목 했다(Leng and Ross, 1994:7-8). 스티븐 엔젤리데스(Angelides, 1994:78)는 '강간, 소아성애, 그리고 '스너프snuff＊적 성적 실행'이 퀴어를 문제적으로 만든다고 규정하며, 쉴라 제프리스(Jeffreys, 1993:146)는 '소아성애'나 '가피학성애'가 특별히 문제적이라 짚고 있다. 무엇이 적절한 혹은 윤리적인 성적 행위를 구성하는지에 관한 이런 논쟁은 새롭지 않다. 결국, 정체성에 기반한 레즈비언과 게이 정치학을 중심으로 그려진 경계들은 가피학성애, 세대 간 성행위, 포르노그래피에 대한 논쟁에서 여러 경우 격렬한 다툼의 대상이 되어 왔다. 하지만 퀴어는 성적 도착을 구별 범주의 비안정화나 그것의 변주로서가 아니라 바로 구별 범주의 전제조건으로 둘 가능성을 제안한다. 이것이 모든 형태의 비규범적 섹슈얼리티로 구성되는 집단성을 가설적으로 가능한 것으로 두는 가운데, 퀴어의 개방성은 연립 동맹을 강요하지도 않고 윤리적인 것과의 협상을 배제하지도 않는다. 퀴어가 '가까운 미래'에 '이성애중심적 권력 관계' 유지에 전념하는 일단의 제멋대로인 이성애적 성도착자들에 의해 장악될 것이라 본 그로츠(Grosz, 1995:249, 250)의 예측에도 불구하고 이 용어가 발전해 나온 역사적 정황은 반동성애혐오 정치와의 제휴를 유지해 왔다. 퀴어의

＊ 잔인한 장면을 연출하는 성적 행위

미래가 어떻게 발전될지 여전히 알려지지 않은 가운데 그 근본적인 지향이 변할 것이라는 징후는 없다. '일반 퀴어' 현상은 상당히 비판받아왔지만(Kamp, 1993) 스스로를 일반 퀴어라고 규정하는 이들의 논의는 거의 고통스럽기까지 한 임시성과 자기반영성으로 표시되는 경향이 있고 반동성애혐오 분석의 측면에서 얘기되어진다(Powers, 1993).

비규범적 성적 정체성들의 연합을 만드는 과정에서 퀴어는 레즈비언과 게이 남성들이 최근 이룩한 가시성과 정치적 성과에 반한다는 혐의를 종종 받아왔다. 어렵게 얻어 낸 존중과 스스로를 레즈비언이나 게이로 규정함으로써 가능해진 공동체 의식은 관습에 대한 저항을 유일한 특징으로 갖는 용어 안에서 길을 잃는다. 자신을 설명하는 용어로서의 퀴어에 대한 많은 공격은 적법성을 유지하고 싶은 욕망에 근거한다. 에릭 마쿠스Eric Marcus는 "내가 마지막으로 하고 싶은 것은 나를 주류 밖으로 밀어낸 말과 정치 철학으로 나 자신을 정의내림으로써 그 차이를 제도화하는 것이다"(Garber, 1995:65 재인용). 퀴어에 대한 이러한 거부는 대체로 보면 하나의 개념이자 기반층이기도 한 '게이'가 최근 합법화됨으로써 가능해진 소속감의 결과이다. 데이빗 링크David Link(Link, 1993:47)는 "나는, 게이 남성으로서, 내가 퀴어인지 아닌지를 둘러싸고 나 스스로와 씨름해 왔다. 나는 퀴어가 아닌 것으로 결정을 보았다. **퀴어**는 타자의, 외부자의 말이다. 나는 성적 지향 때문에 내가 외부에 있다고 느껴지지 않는다"고 고백하고 있다. 유사하게, 크랙 존스톤Craig Johnston은 <시드니 레즈비언 게이 신문Sydney lesbian and gay newspaper> 편집자에게 보내는 편지에서 다음과 같이 썼다.

내가, 20년의 게이/레즈비언 급진주의 이후, 이제 우리의 싸움이 유효하지 않다고 생각할 것이라 기대하지 마십시오. 그리고 내가 '우리'라고 말할 때 그것은 게이와 레즈비언을 뜻 합니다 … '퀴어'는 반동성애적입니다. '퀴어' 공동체란 존재하지 않습니다. 퀴어는 적입니다. '퀴어'라는 말을 들을 때 나는 칼라슈니코프 소총에 손을 뻗습니다(Galbraith, 1993:22 재인용).

존스톤이 퀴어에 대해 가진 반감의 뒷면에는 레즈비언과 게이라는 범주를 구시대적이고 엘리트주의적이며 기득권층 중심적이고 상품과 자본을 강조하는 중산계급 - 스티븐 코센Steven Cossen(Cossen, 1991:22)의 표현을 빌자면, '나이트클럽에 입고 가는 옷을 빼고는 그저 다른 사람들과 다를 게 없다는 것을 입증하기 위해 메이시Macy 백화점에서 올바른 물건을 구입하려 애쓰는 이들 - 이 모인 것으로 보고 이를 폄하하는 퀴어 정치학 버전이 있다. 제이슨 비숍Jason Bishop(같은 글:16 재인용)도 "나는 구세대 레즈비언과 게이와 내가 같다고 생각하지 않는다. 엄청 편하지 - 일요일 아침에는 브런치를 먹고 한주 내내 신용카드로 쇼핑을 하면 되니까"라며 이와 비슷한 불만을 토로한다.

역설적으로, 게이와 레즈비언이 처한 조건을 개선하고 적법성을 보장하는 데 있어서 게이 해방운동의 - 제한적이기는 한 - 성공은 이들의 지적에서 게이와 레즈비언들이 근본적으로 자신들에게 무관심하거나 해로운 이성애적 권력구조에 연루된 정도에 대해 퀴어가 제기하는 불만의 원천으로서 지목된다. 게이 해방주의 투쟁과 개입으로 얻어낸 것들에도 불구하고 - 아니면 아마도 그것들 때문에 - 보다 공격적인 퀴어 전략에 전념하는 이들은 시위를 조직하고, 로비하고 진정서를 제출하는 것과 같은 민주적으로 승인된 정치적 개입통로의 효력에 동의하지 않는다. 30년 전만 해도 불가능해 보였던 발전− 공공연한 레즈비언, 게이 사업이나 레즈비언, 게이 단체를 위한 정부 혹은 지역단위 기금, 레즈비언과 게이들이 경제적 혹은 정치적 영향력을 가진 지지층으로서 지지호소 대상이 될 수 있다는 인정 등− 은 퀴어 의제에 전념하는 이들에게는 진보의 조짐이 아니라 어떻게 레즈비언들과 게이들이 주류 문화와 가치에 동화될 수 있는지를 보여주는 징후로 여겨진다.

그와 같은 적대감으로 인해 생겨난 두 개 진영 사이의 특정한 상호 적개심을 부인할 여지는 없다. 레즈비언들과 게이들은 때로 현실안주적이고 현 체제의 일부로 재현된다− 그만큼 또한 레즈비언과 게이들은 퀴어를 레즈비언과 게이 범주의 부모 같은 권위에 대한 미숙한 세대적 반항 이상 아무것도 아니라고 묵살한다(Fenster, 1993:87−8). 다른 이들은 퀴어가 '동성애혐오적 부인을 위해 이미 만들어져 있는 도구를 제공'하게 될지 몰라서, 그리고 이로써 '최신 유행의 화려하게 비명시된 성 범법자들'로 하여금 여전히 '구식의 본질화되고 엄격하게 규정된 특정하게 성적인 정체성(이름하여, **레즈비언** 혹은 **게이**)'(Halperin, 1995:65)에 전념하고 있는 이들을 낙인찍고 묵살하도록 만들까봐 두려워한다.

심지어 퀴어로 레즈비언이 침식당할 수 있다는 가능성에 대해 더한 불안이 표출되어 왔다. 많은 레즈비언들에게 퀴어는 무엇이 성적인 것을 구성하는가에 대한 때때로 관행적인 설명과 레즈비언 페미니즘의 한계라고 여겨져 왔던 것들에 해결책을 제공하는데, 이는 레즈비언을 '동성애자보다 '여성' 범주로 두는 것을 포함한다(Smyth, 1992:36−46). 퀴어가 젠더 중립성이라는 야심찬 주장을 펴놓는 한편, 그와 같은 주장은 흔히 포괄적인 남성성을 감추는 것에 불과하다는 근거있는 의혹도 있다. 1991년 테레사 드 로레티스^{Teresa de Lauretis}가 처음 퀴어라는 용어를 주장했을 때 로레티스는 그 말에 '레즈비언과 게이'라는 자연화되고 젠더에 민감해 보이는 문구 안에 잠재하는 남성중심주의적 편향에 맞서는 책임을 부여해 넣고자 하였다. 당시 로레티스는 퀴어 이론 사업이 '현대의 '게이와 레즈비언' 담론에서 레즈비어니즘이라는 특수성에 대한 오랫동안의 침묵을 야기했던 '계속되는 재현의 실패'에 대한 해결책을 제공할 것이라고 썼다(de Lauretis, 1991:vi-vii). 페미니스트들이 – 문법적 '규칙'에 대한 학문적 고집에 그보다 사악한 이데올로기적 의도가 있음을 감지하면서 – 젠더화되지 않은 보편적 용어로 남성적 대명사를 쓰는 것을 거부했던 것과 마찬가지로 지금 이제 퀴어의 젠더 불특정성을 허용하는 것을 꺼려하는 이들이 있다. 이런 불안감에 대한 보다 더 관련 있는 선례가 있다. '레즈비언' 자체가 초기 레즈비언 페미니즘이 동성애 옹호운동과 이를 이은 게이 해방운동 모두에서 우선순위를 정하는 데 있어 보여진 남성중심적 편향이 있음에 환멸을 느끼게 되었을 때에 비로소 폭넓게 받아들여지게 되었었다. 그래서 많은 레즈비언 페미니스트들에게 퀴어의 발흥과 젠더 불특정성에 대한 퀴어의 주장은 이미 환영받지 못할 기시감을 떠올리게 한다. 퀴어의 젠더화에 대한 많은 논쟁들은 게이 해방운동보다는 레즈비언 페미니스트들에게서 비롯된다. 이 두 개의 사회운동이 서로 대립한다고 – 심지어 항상 서로 완연하게 구분될 수 있다고 – 이해하는 것은 맞지 않지만 퀴어에 대한 레즈비언 페미니스트적 반대는 의심할 여지없이 중요하다.

필리파 본위크^{Philippa Bonwick}(Bonwick, 1993:10)는 퀴어에 대한 레즈비언 페미니스트들의 일반적인 반대 내용을 제시한다. 본위크는 "아마도 퀴어가 되라는 만연한 압력이 가지고 있는 가장 해로운 측면은 레즈비언들을 훨씬 더 두꺼운 비가시성의 망토로 가려버린다는 점이다. … 퀴어는 젠더 정치를 완전히 무시한다. 총칭어를 쓰는 것은 여성들을 다시 한 번 지워버리는 것"이라고 쓰고 있다. 여기에서 본위크는 퀴어 정치가 이른바 포괄적인 범주 안에서 젠더가 만드는 차이에 둔감할 것이라는 보편적인 우려를 되풀이한다. 퀴어의 '보편화 포부'를 주지하면서 테리 캐슬^{Terry Castle}(Castle, 1993:12)은 최근 퀴어의 인기는 '여자의 동성애를 남자의 동성애' 안으로 '접어 넣어버리기 쉽게 만들어 레즈비언의 실체성을 다시 한 번 무화시키기' 때문으로 본다. 쉴라 제프리스(Jeffreys, 1994:460)는 퀴어에서 '여성과 레즈비언의 이해에 적대적인' 게이 남성의 아젠다를 탐지한다. 제프리스가 게이 남성을 남성 우월주의의 핵심이라고 본다는 점을 고려할 때 제프리스가 퀴어를 게이 남성과 불공평한 구조에 놓이도록 레즈비언을 재위치시키려는 간사한 시도로 표현하는 것이 아마 놀랍지는 않을 것이다. "레즈비언들이 게이 남성에게 문화적으로 종속되게끔 뒷덜미 잡히는 또 하나의 길이 '퀴어' 정치를 통한 것이다"(Jeffreys, 1993: 143). 레즈비언 페미니즘을 게이 해방운동의 남성중심적 관심사로부터 벗어나는 것이라 묘사하면서 제프리스는 퀴어를 일종의 반발현상으로 설정한다. 새로운 설명 모델이라는 가면을 쓴 것은 사실 그저 새로운 이름으로 영악하게 작동하고 있는 오래된 것일 뿐이라는 것이다.

줄리아 파나비 또한 퀴어를 자신이 퀴어 범주에 통합된다고 오인하고 있는 레즈비언들을 희생양 삼아 남성중심적 아젠다를 가속화하는 데 복무하는 운동이라고 본다. "레즈비언들과 게이 남성들이 공통의 이해관계를 가지고 있다고 잘못 가정함으로써 퀴어는 남성의 전장에서 남성과 여성이 함께 싸울 장을 제공하려는 목적을 갖는다"는 것이다(Parnaby, 1993:14). "[퀴어가] 남자들이 이끄는 운동으로 남는 한 특정하게 여성들과 관련된 사안에 대해서는 어떠한 진지한 고려도 없을 것이다"라고 주장하면서 파나비는 글의 각주에 "에이즈에 대한 강조가 그 한 예이다. 레즈비언들 중 엄청난 수가 유방암에 걸리고 있음에도 불구하고 유방암이 거론된 적은 한 번도 없다"고 덧붙이고 있다(같은 글:16). 게이 남성들은 레즈비언의 건강 사안에 대해서는— 여기서는 유방암이고 다른 곳에서는 자궁경부암으로 제시되는데— 무관심한 채 남아있는 반면 레즈비언들은 에이즈 전염이라는 틀 안에서 '퀴어'라는 이름으로 조직되었다는 이 제안은 이와 같은 비판에서 어느 정도는 보편적으로 나타나고 있다. 이 경우에 게이 남성들이 에이즈 위기에 당면한 레즈비언들의 노력에 화답하고 지지하지 않을 것이라는 가설을 시험해 보기 위해 레즈비언화된 에이즈 버전을 상상하는 것에는 아무도 관심이 없을 것이다. 그렇지만 에이즈와 유방암(혹은 자궁경부암)이 현재로서는 담론적으로 동등하지 않다는 것은 주목할 만하다. 에이즈가 자주 동성애의 환유어로 읽히는 반면 유방암 그리고/또는 자궁경부암은 특정하게 레즈비언의 건강 지표라기보다는 여성의 건강 지표로 읽히는 것이 더 보편적이다. 이 수사적 구성물의 '진실'은 생산적으로 경합될 수도 있다. 그럼에도 불구하고, 레즈비언들이 역학적으로 볼 때 에이즈의 영향을 대체로 받지 않음에도 게이 남성보다 훨씬 더 포괄적인 동성애자로 레즈비언들을 호명하려는 담론적 노력은 유방암이나 자궁경부암에 의해 야기된 필적할 만한 건강 위기에 언제든 연루될 것이다. 토마스 잉링(Yingling, 1991:293) 또한 '80년대의 게이 의료 위기가 여성 건강의 위기였다면 게이 남성들은 레즈비언들이 에이즈 위기에 대응했던 것과 같은 열정과 참여율로 조직을 위해 일하지 않았을 것이라는 반복되는 주장'을 고려하지만, 토마스는 성적 차이에 반하는 젠더 가시성의 중요성과 '백인 게이 남성 문화'의 영향력을 받은 '복잡하고 불분명한 상징적 작업도 그만큼 중요하다고 규정한다. 게다가, 에이즈와 유방암 혹은 자궁경부암을 구성하는 담론틀은 고정된 것과는 거리가 멀고 그것들을 재설정하는 것이 활동전략이 될 수도 있다. 세즈윅(Sedgwick, 1993a:15)은 "에이즈 운동은 … 70년대 여성 건강 운동에 많은 빚을 지고 있다"고 말하면서 "다른 한편, 레즈비언들에 의해 퍼진 유방암 운동의 정치는 지난 일이년 동안 에이즈 운동 모델에 바탕을 두고 부상해 온 것으로 보인다"고 쓰고 있다.

체리 스미스Cherry Smyth(Smyth, 1992:35)는 본인 자체가 열렬한 퀴어 옹호자인데 퀴어의 젠더 정치학에 대해서는 유보적 태도를 보인다.

퀴어가 젠더, 인종, 계급이라는 측면에서 복잡한 주체성들과 차이들을 다룰 수 있는 가능성을 제시하지만 퀴어는 또한 우리들 중 일부가 페미니즘에서 겪는 고통인 환원주의적 규정과 게이 백인 남성들의 퀴어함에 특권을 부여하는 무비판적 본질주의에 충분히 강력하게 저항하지 않으려는 위험을 감수한다. 퀴어는 레즈비언들에게는 일방적인 레즈비언 통설로부터 보다 더 다원적이고 유연한 정치로 벗어날 수 있는 탈출구를 제시하지만 진보적인 페미니즘의 측면을 보지 못할 위험이 있는데, 페미니즘은 우리들 중 많은 이들에게 말할 용기를 주었던 것이다.

「퀴어 국민으로서의 여성*Woman as Queer Nationals*」이라는 제목의 글에서 마리아 마겐티^{Maria Maggenti}(Maggenti, 1991:20)는 남성중심적 퀴어 지시문 하에서 작업하는 것에 대한 환멸을 다음과 같이 적는다.

> 새로운 퀴어 나라의 지도는 남자의 얼굴을 가질 것이고 … 나의 얼굴과 많은 나의 유색인 자매들의 얼굴은 그저 단순히 배경 재료가 될 것이다. 우리는 다급하고 분노에 찬 수많은 젊은 남성들에게 깊이 들어차 있는 편견과 자의식 없는 생략을 누그러뜨리고 보충하는, 이를테면, 인구학적 허울일 뿐이다.

퀴어를 식별 범주로서 볼 때 파생되는 문제들에 대해 서로 다른 모습으로 열광하고 모순된 태도를 보이는 적대적 이론가들은 하나같이 퀴어가 젠더의 특수성들을 간과하는 경향을 보이는 것에 대해서 비판적이다. 레즈비언들을 대표한다고 말해지는 범주로부터 레즈비언들을 배제하는 것은 전적으로 받아들일 수 없는 것이지만 젠더가 퀴어 정치학에서 어떤 지위를 가질 수 있을지 결정하기 위해서 페미니즘과 퀴어 사이의 관계를 고려하는 것은 도움이 된다.

퀴어로 굴절된 레즈비언, 게이 연구의 장은 '페미니즘 없는 지대'로 묘사되어 왔다(Jeffreys, 1994:459). "'퀴어 이론'이 여전히 … 기본적으로 남성 동성애 연구를 뜻하는 듯 보이지만(Castle, 1993: 13) 퀴어를 페미니스트적이지 않은 것으로 적극적으로 계속 재현하는 것은 더 어렵다. 주디스 버틀러, 더글라스 크림, 테레사 드 로레티스, 조나단 돌리모어 Jonathan Dolimore, 다이애나 퍼스, 조나단 골드버그 Jonathan Goldberg, 데이빗 핼퍼린, 맨디 머크, 이브 코소프스키 세즈윅, 발레리 트롭, 제프리 윅스 등 이 영역에서 가장 탁월한 이론가들 중 많은 이들이 의심할 것 없이 페미니스트이기 때문이다. 이들만큼 잘 알려져 있는 퀴어 이론가이면서 페미니스트적이지 **않은** 작업을 하는 이들의 명단을 이 숫자만큼 작성하는 것은 불가능할 것이다. 더욱이, 간학문적 형성물로서 퀴어 연구는 페미니스트 지식으로부터 발전했다– 그리고 계속해서 페미니스트 지식이라는 측면에서 이해될 것이다. 『두 남자 사이에서』(1985년에 처음 출간되었다)– 종종, 과장되게 말하면, 퀴어 연구의 기원으로 묘사되는 단행본– 에 대해 설명하면서 세즈윅(Sedgwick, 1992: viii)은 그 책이 "매우 예리하게 페미니스트 운동에 복잡하고 반분리주의적이며 반동성애혐오적인 기여를 하도록 의도되었다"고 설명한다.

정확히 어떻게 퀴어가 젠더에 관계되는지는 젠더와 섹슈얼리티가– 페미니스트와 반동성애혐오 연구처럼– 같은 것이 아니라는 최근에 영향력을 미치고 있는 주장을 고려함으로써 이해될 수 있다. 이는 젠더에 기초한 페미니즘 지식이 반드시 인간 섹슈얼리티의 모든 분야에 대한 설명을 내놓을 필요는 없다는 것과 맥을 같이 한다. 이러한 주장은 세즈윅과 게일 루빈에 의해 종합적으로 입증된 바 있는데 이들의 글은 페미니즘이라는 설명틀 없이는 이해불가능할 것이다.

루빈은 많은 이들에게 영향력을 미치고 있는 자신의 글인 「성을 사유하기*Thinking Sex*」(1993)에서 성의 사회적 위계 구조와 그 결과 비규범적 섹슈얼리티들이 악한 것으로 치부되는 현상을 분석하였다. 루빈의 결론에 따르면 "젠더는 성 체계sexual system 작동에 영향을 미치고 성 체계는 젠더에 특정한 현상을 가져 왔다. 그러나 섹스와 젠더가 연관되어 있기는 하지만 이 둘은 같은 것이 아니며 그것들은 서로 다른 두 개의 사회적 행위 무대의 토대를 형성한다"(Rubin, 1993:33). 루빈은 페미니스트 분석의 강점을 인정하는 한편 페미니즘이 섹슈얼리티를 이론화하기를 기대하는 것은 양 분야 모두에 손실이라고 주장한다(같은 글:34).

페미니스트의 개념 도구들은 젠더에 기초한 위계를 탐지하고 분석하기 위해 개발되었다. 어느 정도는 이것이 성애적 계층화와 겹치는 면이 있고 이에 대해 페미니스트 이론이 어느 정도 설명력을 가진다. 그러나 젠더보다는 섹슈얼리티에 더 관련된 사안이 될수록 페미니스트 분석은 오히려 오해를 불러일으키게 되고 종종 무관한 것이 된다. 페미니스트 사상은 섹슈얼리티가 사회적으로 조직되는 방식을 온전히 담아낼 수 있는 시각이 결여되어 있다.

세즈윅(Sedgwick, 1990:32)도 루빈과 같은 주장을 한다.

순전히 젠더에 기초한 해석이 갖는 분석 용량은 그것이 다루는 주제가 서로 다른 젠더들 사이의 사회적 접촉면으로부터 멀어질수록 덜 예리해지고 덜 직접적이 될 것이라는 점은 예상 가능해 보인다. 동성관계들을 우선 젠더 차이라는 다른 위상으로 교정된 시각을 통해 자세하고 촘촘하게 분석할 수 있을 것이라 기대하는 것은 비현실적이다.

루빈은 섹슈얼리티를 '젠더의 파생물'로 이해하려는 페미니즘의 경향을 비판하면서 '특정하게 섹슈얼리티에 관계된 독자적인 이론과 정치학'의 발전을 촉구한다(Rubin, 1993:33,34). 젠더 이론화와 성 이론화 사이의 상호 생산적인 관계를 상상하면서 루빈은 "젠더 위계에 대한 페미니즘의 비판이 급진적 성 이론으로 통합되어야만 하고 성적 억압에 대한 비판은 페미니즘을 풍부하게 만들어야 한다'고 주장한다(같은 글:34).

세즈윅은 섹슈얼리티의 이론화에 대한 루빈의 요청에 입각해 동성애에 대한 20세기 인식을 분석하기 위한 틀을 고안해 냈다. 세즈윅이 루빈의 사유틀에 의존하고 있지만, 버틀러(Butler, 1994:8)는 루빈의 '주장은 레즈비언/게이 이론틀에 대한 것이 아니라 광범위한 성적 소수자들에 대한 규제를 설명할 수 있는 틀이었음'을 지적한다. 따라서 버틀러는 "포괄적이고 연합적인 의미에서의 '성적 소수자들'이 '레즈비언과 게이'와 상호대체 가능한 것으로 여겨질 수는 없다. 그리고 '퀴어'가 배타성이라는 이런 동일한 목표를 달성할 수 있을지는 여전히 질문으로 남는다"고 주장한다(같은 글: 11). 세즈윅(Sedgwick, 1990:30)에 따르면 "젠더와 섹슈얼리티 사이에는 항상 최소한의 잠재적인 분석적 거리가 있다." 루빈처럼, 세즈윅도 섹슈얼리티와 젠더가 서로 완전히 얽혀있다는 것은 인정하지만 세즈윅은— 말하자면, 특정한 성적 행동이나 권력관계가 아니라— 동성애와 이성애가 섹슈얼리티의 장을 규정하게 된 특정한 역사의 결과물이므로 이것이 분석모델을 주조하도록 허용해서는 안 된다고 생각한다.

전체로서의 이 세기의 섹슈얼리티를 **동성**-혹은 **이성**애라는 이분법적인 계산법으로 규정적인 축소를 한 것은 중대한 사실이지만 또한 이는 전적으로 역사적인 사실이다. 그 기정사실을 섹슈얼리티를 젠더와 합체시키려는 이유로 사용하는 것은 그 사실 자체가 설명을 요하는 것이라는 점을 가린다.(같은 글:31, 강조는 원문그대로)

게다가, 세즈윅은 젠더에 의해 변형된 분석 모델에 의존하는 것은 은연중에 젠더들 사이의 관계가 가장 우선적이라는 이성애중심적인 가정을 동원하게 될 수도 있다고 주장한다. "젠더에 토대를 둔 어떤 분석에서도 궁극적인 규정적 호소는 불가피하게 반드시 서로 다른 젠더들 사이의 판별경계에 대한 것일 수밖에 없다." (그리고) "이것이 이성사회적이고 이성애적인 관계에 개념적 특권이라는 막대한 결과를 부여한다"고 세즈윅은 말한다(같은 글).

루빈과 세즈윅 모두 어떠한 섹슈얼리티 이론도 페미니스트 분석에 주의를 기울여야 한다는 입장을 고수하고 있지만 제프리스(Jeffreys, 1994:466)는 그들이 레즈비언과 페미니스트의 원칙을 더욱 약화시킨다고 본다. 제프리스에 따르면 "레즈비언들과 페미니스트들의 이해에 복무한다는 징후가 별로 보이지 않는 새로운 레즈비언, 게이 연구의 또 다른 측면은 섹슈얼리티 연구가 페미니스트 이론으로부터 꽤나 분리되어 있고 페미니스트 이론에 **휘둘리지 않는** 탐구의 장으로 이를 설정하고자 하는 결의이다"(저자 강조). 제프리스는 섹스라는 분석축을 젠더라는 분석축으로부터 분리해야만 한다는 요청은 페미니즘에 대한 무관심과 오만을 빚게 된다고 주장한다. 그러나 제프리스가 불신하며 비판하고 있는 이들의 작업에서 이런 일들이 일어나고 있다는 증거는 없다. 한 예로, 앞서 언급했던 주장을 하면서 세즈윅은 제프리스가 마치 세즈윅이 페미니즘을 배신하고 있는 것처럼 내비추었던 것과는 달리 바로 그 페미니즘을 끊임없이 높이 평가하며 옹호하고 있다. 오히려 정교하게 격을 갖춰 작업된 세즈윅의 제안은 제프리스가 다른 말로 바꾸어 설명하고 있는 것과는 현저하게 다르다는 것을 보여주기 위해 세즈윅의 글을 인용할 필요가 있을 것이다.

> 이 책은, 루빈과 함께, 젠더에 대한 질문과 섹슈얼리티에 대한 질문이, **각자가 오직 다른 한쪽에 관하여 말함으로써만이 표현될 수 있을 지라도, 서로 떼려야 뗄 수 없지만,** 그럼에도 불구하고, 같은 질문이 아니라는 것과 20세기 서구 문화에서 젠더와 섹슈얼리티는, 말하자면, 젠더와 계급 혹은 계급과 인종처럼 서로 별개로 존재한다고 생산적으로 상상되어 질 수도 있는 두 개의 분석축을 표현한다는 가설을 세울 것이다. 말하자면, 최소한보다 더 하지 않은, 그렇지만 유용하게, 별개인(Sedgwick, 1990:29, 저자 강조).

젠더와 섹슈얼리티를 별개로 그러나 '떼려야 뗄 수 없는' 범주로 다루자는 이 제안은 '섹슈얼리티 연구를 페미니스트 이론으로부터 꽤나 분리되어 있고 페미니스트 이론에 휘둘리지 않는 탐구의 장'으로 설정하지 않는다. 그러나 젠더와 섹슈얼리티가 같은 것이 아니라는 주장은 자주 '섹슈얼리티의 이론들을 젠더의 이론들로부터 구분하고 나아가 섹슈얼리티에 대한 이론적 탐구를 퀴어 연구에 배정하고 젠더 분석을 페미니즘에 배정하려는 … 방법론적 구분'을 허가하기 위해 채택되어 왔다(Butler,

1994:1). 이런 식의 깔끔한 배정은 종종 분과학문적 경계를 구축하는 퀴어 연구의 개시 제스처이다. 이 점은 버틀러에 의해 비판받았는데 버틀러는 페미니스트의 관심사를 젠더로 축소시키는 것은 최근의 페미니스트 작업이 가지고 있는 중요한 측면들을 간과하는 것이라고 본다. 젠더에 대한 협소한 초점은 성정치와 인종 또는 계급에 대한 급진적인 페미니스트 작업을 설명하지 못한다. 또한, 버틀러 자신의 작업처럼, 젠더를 섹슈얼리티를 통해 복잡하게 만들고자 하는 페미니스트적 작업도 설명할 수 없다(같은 글:15-16).

퀴어 프로젝트를 인준하는 젠더와 섹슈얼리티 사이의 차이가 그 자체로 페미니즘에 해로운 것은 아니다. 그럼에도 불구하고, 퀴어를 페미니즘의 젠더 기반의 시대착오적 관심사에 대한 반동으로 고집스럽게 진술하는 데에는 문제가 있다. 비디 마틴^{Biddy Martin}(1994b:104)은 페미니즘에 대한 퀴어적 고찰이 상호 생산적이라는 것을 이해하지만 '반토대주의적 퀴어스러움에 대한 칭송이, 퀴어 섹슈얼리티들은 수식적이고, 수행적이며, 유희적이고 재미있어진다는 것과 관련하여, 고정성, 제약, 또는 고정된 근거에의 종속, 종종 페미니즘이나 여성 몸에의 종속에 대한 퀴어적 고찰의 추정에 의존하는 경우에 대해' 여전히 우려하고 있다. 마틴은 퀴어 이론이 페미니즘을 단순한 반대 형상으로 틀을 잡는 것에 우려를 표한다. '다양한 페미니스트적 접근들에 대해 격론을 벌이는 궁극적으로 환원론적인 설명을 경유해 … 나아가는 가운데 결국 '하나의 페미니즘, 자기와 똑같은 것, '여성'이라는– 남자가 아닌 다른 어떤 것으로 규정되는– 보편적 범주를 페미니즘의 주체로 만드는 인본주의적 올가미'에 걸리게 된다(같은 글:105). 보다 더 의미심장하게, 이러한 움직임은 여성을— 그리고 필연적 결과로서 페미니즘을— 젠더와 남성을 섹슈얼리티와 연관짓는다. 이와 같은 모델은 '젠더를 부정적인 측면에서, 고정성, 수렁, 직설적으로 여성적인 몸에 좌우되는 측면에서 적어도 함축적으로 상상하기 때문에 '주로 육체이탈의 형태로 그리고 항상 젠더 교차의 형태로 일어나는 젠더로부터의 탈출이 목표가 되고 추정 성과가 된다는 결론이 나온다(같은 글).[12]

마틴은 정체성 식별 행위나 소위, 부치 레즈비언butch lesbian이나 레즈비언 톰보이lesbian tomboy를 생산하는 문화적 형태들에 대해 윤리적 근거나 혹은 정치적 근거로 반대하지 않는다. 마틴이 질문하는 것은 그러한 위반이 자명한 듯 하는 주장에 대한 것이다. 마틴은 그 같은 젠더 교차를 해체적이라고 이론화하는 것은 은연중에 여성성이나 또는 레즈비언 여성lesbian femme을 반동적인 이들이거나 아니면 정적주의자로 만드는 것이라고 지적한다. 젠더와 섹슈얼리티를 구별되지만 또한 서로 맞물려있는 것으로 다루는 이점을 계속 가져가고자 하는 가운데 마틴은 이것이 젠더를 단순화하기는커녕 오히려 '성적 목적, 대상, 행위로 … 젠더의 치환물'을 다양화시킬 것이고 그 결과로 '전통적인 경계들을 횡단하는 자기식별과 욕망이 젠더 정체성과 표현의 복잡성을 없애지 않을 것이라 주장한다(같은 글:108). 버틀러(Butler, 1993b:28)도 유사하게 서로 구별되지만 또한 역동적으로 상호작용하는 젠더와 섹슈얼리티의 특성을 강조하면서 "확실히 섹슈얼리티의 형태를 젠더 규범의 작동으로부터 근본적으로 분리하려는 것만큼이나 성적 종속의 관계가 젠더 위치를 결정한다고 주장하는 것도 수용할 수 없다'고 말한다. 로즈매리 헤너씨(Hennessy, 1994:106)도 이렇게 생각한다.

> 퀴어 비평이 주장하는 것이 인간이 가진 관능적 쾌락의 잠재력이 섹스로서 사회적으로 생산되는 무수히 많은 방법들을 교란시키고 다시 쓸 수 있는 비판적 틀을 개발하는 것이라면, 우리는 쾌락의 역사성을 그것이 젠더와 갖는 관계를 포함하여 복잡한 모든 면에서 다룰 수 있는 분석 양식이 필요하다.

횡단적 자기식별을 하는 섹슈얼리티의 유동성에 비해 젠더가 상대적으로 고정된 것 혹은 근본적인 것이라 설정하는 것을 거부하면서 마틴(Martin, 1994b:117)은 여성성의 형태가 생산적으로 이론화될 수 있는 공간을 열어 놓는다.

> 여자다움^{femmeness}, 여성성^{femininity}, 여자의 몸 구조$^{female\ anatomy}$ 사이의 복잡한 도-지$^{figure-ground}$ * 관계들에 의해 젠더에 대여된 삼차원성은 여성적 동일시를 수동적 측면에서, 순응의 측면이나 혹은 여자의 몸에 대한 편안함의 측면에서 인식하는 것이 갖는 오류를 드러낸다. 여자다움은 명백하게 보다 더 반항적인 정체성들만큼이나 유기체-정신-사회관계의 구조화에 능동적이거나 어쩌면 여자다움이란 부치다움 만큼 능동적인 구조화의 효과라고 말하는 것이, 여자다움이란 다양한 범위의 횡단과 놀라운 여정을 수반하고 항상 특정한 형태를 취한다고 말하는 것이 더 정확할 것이다.

마틴은 페미니스트와 퀴어 이론 사이의 화해를 주장한다. 그는 "침체되

---

* (심리) 도(圖)와 지(地), 도-지. 시야(視野) 안에 별로 분명치 않은 배경(=지)에 대하여 윤곽이 분명한 것(=도)이 돋아나 보이는 지각 특성(네이버 영어사전, 2012년 5월 7일 참조).

고 음모에 말려든 것으로 해석되는 무엇, 그리고 모성의, 시대착오적인, 추정상 금욕주의적인 페미니즘과 연관되어 있는 무엇과의 비교를 통해 퀴어다움을 움직이고 유동적인 것이라 규정하는 일을 그만두어야 한다"고 촉구한다. 또한 그는 더 이상 '퀴어 이론과 퀴어 행동주의를 여성들 사이의 잠재적인 연대와 공통의 이익에 방해가 되는 것으로 보지' 않는다고 주장한다(Martin,1994a:101). 여성적 자기식별feminine identification에 초점을 맞추면서 마틴은 젠더와 섹슈얼리티에 대한 페미니스트 모델과 퀴어 모델 둘 다에 있는 중요한 요소들과 지나치게 단순화된 요소들을 가려내면서 두 모델 사이의 화해를 성사시킨다.

퀴어의 급성장에 대한 많은 언급들은 퀴어의 우세에 대한 다양한 논쟁들과 일치한다. 정치적 개입의 기초로서 어떤 용어를 쓸 것인가를 둘러싼 투쟁은 퀴어의 발흥이 만들어 낸 가장 덜 생산적인 효과일 것이다. 데이빗 핼퍼린(Halperin 1995:63)은 다음과 같이 불만을 토로한다.

'게이' 또는 '레즈비언' 대 '퀴어'로 각각이 가진 장점을 둘러싸고 레즈비언들과 게이 남성들 사이에서 벌여 온 끝도 없고 결실도 없는 논쟁은 엄청난 에너지를 쓸데없이 소모하고 많은 악감정을 만들어 냈을 뿐만 아니라, 더 중요하게는, 마치 '옳은' 것(그게 어느 쪽이든)에 외곬으로 붙어 있으면 안전하거나 안심할 수 있기나 한 것처럼 이 용어들의 전략적 기능에 대해 세심한 평가를 하지 못하도록 제지해 왔다.

핼퍼린은 '레즈비언'이나 '게이' 그리고 '퀴어' 사이의 관계를 경쟁의 측면에서 구조화하는 것은 퀴어가 가장 잘 할 수 있는 개입, 즉, 전략적인 형태를 전면화하고 주어진 용어를 정확히 사용하는 능력을 축소시키는 것이라고 주장한다.

(특정한 용어의 패권이 아니라) 정체성 범주들의 실용적인 효능을 강조함으로써 퀴어가 결코 게이 해방운동이 한때 '동성애자의 종말' (Altman, 1972:216)이라 낙관적으로 상상했던 것을 필요로 하게 만들지 않는다는 것이 분명해졌다. 레즈비언과 게이 운동의 통합도 혹은 '레즈비언'과 '게이'를 정치화된 기술자들로 결집하는 것을 계속하는 것도 퀴어 모델에 도전이 되지 않는다. 정체성에 토대를 둔 전통적 정치 조직에 환멸을 느끼고 모든 정체성 범주들의 급진적 비자연화에 참여하는 퀴어는 대안적 명명법으로서 보다는— 이는 레즈비언과 게이라는 이전의 분류를 어느 정도 대신하는 지로 그 성공여부를 측정할 것이다— 모든 신분 식별 범주를 안정된 것으로 만드는 정체성이라는 허구들에 주의를 기울이도록 하는 수단으로 작동한다. 퀴어에 대한 비판은 가끔 레즈비언과 게이의 특수함을 잃게 될까하는 불안에 기인하는데 이것이 퀴어 프로젝트의 논리적 귀결이라고 확신할 수 있는 근거는 거의 없다.

퀴어 아젠다는 사실상 '레즈비언'과 '게이' 범주들이 그렇게 하고 있는 정도로 젠더와 욕망의 상호연동을 자연적인 것으로 만드는 것을 거부하는 것으로 표시된다. 그러나 이것은 퀴어가 주변화된 집단들의 절멸에 전념한다는 말이 아니다. 사이먼 와트니(Watney, 1992:22)는 다음과 같이 본다.

모든 게이 남성과 레즈비언들이 '퀴어'라는 용어를 자신들과 관련하여 받아들이지는 않을 것이라는 것은 분명하다. 왜 다른 사람들은 그 용어가 유용하다고 보는지 이해한다고 하더라도 말이다. 이는 전적으로 이롭다. 동성애적 대상 선택을 근거로 형성된 정체성을 가진 모든 이들을 결합시키는 자연적이거나 불가피한 연결점들은 없다는 것을 인정하도록 해주기 때문이다.

퀴어 스스로가 획일적인 설명 범주가 됨으로써 얻을 것은 거의 없다. 따라서 퀴어와 레즈비언은 동시에 유지되는 두 개의 전략적 식별범주가 될 수도 있다.

> 퀴어 활동가들은 다른— 예를 들어, 부르주아적 예의범절을 통해, 혹은 소수자 권리담론을 통해, 혹은 보다 더 젠더 표시된 언어를 통해 영향력을 얻을 수 있는— 맥락들에서는 레즈비언들이고 게이들이기도 하다(아마 레즈비언 페미니즘을 대체하지는 않을 것이다). 퀴어 정치학은 더 오래된 레즈비언과 게이 정체성 양식들을 그저 대체만 한 것이 아니라 보다 더 익숙한 문제들의 관계가 항상 분명하지는 않은 새로운 가능성과 문제를 열어 놓으면서 그러한 오래된 양식들과 나란히 존재하게 되었다(Warner, 1993b:xxvii).

정체성 정치학에 대한 퀴어의 영향력은 아직 결정되지 않았다. 아마도 정체성의 정치는 퀴어의 영향력 아래에서 사라지지 않을 것이지만 정체성을 동원하는 **모든** 경우를 특징짓는 복합적인 절충과 실용적인 효과에 보다 더 미묘해지고, 보다 덜 확신할 것이며, 보다 더 조율될 것이다. 비록 공격적이라고 자주 묘사되지만 퀴어는 머뭇거리기도 한다. 균질한 정체성 범주들과 전체주의적 설명 서사에 대해 퀴어가 두는 혐의는 필연적으로 퀴어가 주장하는 것을 제한한다. 퀴어는 스스로가 어떤 새롭고 진전된 버전의 레즈비언과 게이라고 여기지 않는다. 오히려 이러한 기술어들은 자명하다는 가정을 질문하는 것이라고 스스로를 간주한다. 퀴어는 레즈비언과 게이를 불명예스럽게 만들려는 음모가 아니다. 레즈비언과 게이라는 이름으로 만들어낸 반론의 여지가 없는 성과들을 평가절하하려 하지도 않는다. 퀴어의 주된 성과는 퀴어 자체를 포함해 어떤 정체성 범주가 동원될 때— 의도되었든 아니든— 내재해 있는 가정들에 주의를 기울이도록 만든 것이다.

9. 후기

퀴어가 구별 용어로서 시장을 지배하기 시작하자마자 그리고 쉬운 뜻의 말로 굳혀지기도 전에 몇몇 이론가들은 퀴어의 순간은 지나갔으며 "퀴어 정치학은, 이제, 정치적 폐물이 되었다"고 말하고 있다(Halperin, 1995:112). 인지가능해지고 널리 퍼뜨려진 용어가 되는 순간 퀴어는 말소되는 것인가? '퀴어 이론'이라는 문구를 쓰기 시작한 이로 자주 인용되는 테레사 드 로레티스(Wiegman, 1994:17)는 그 후 3년이 채 지나기도 전에 그것이 저항하고자 했던 주류 세력과 제도들에 의해 접수되어버렸다는 이유로 그 용어를 버렸다.

1991년, 드 로레티스는 저널 『차이들 *difference*』의 특집을 "퀴어 이론: 레즈비언과 게이 섹슈얼리티"라는 부제를 달아 엮어 냈다. 특집을 소개하면서 로레티스는 이 특집호에 실린 글들이 발표된 레즈비언, 게이 섹슈얼리티에 대한 학술대회를 간략히 설명하면서 "이 학술대회는 동성애가 그것의 반대 아니면 상동으로 정의 내려지는 지배적이고 안정된 형태의 섹슈얼리티(이성애)와의 관계에서 더 이상 단순히 주변적인 것으로 보이지 않는다는 추측에 근거한 전제에 토대를 두었다'라고 소개하였다 (de Lauretis, 1991:iii). 레즈비언과 게이 섹슈얼리티를 '적절한, 자연적인 섹슈얼리티에 대한 단지 위반적인 혹은 일탈적인 것으로 … 혹은 그저 또 하나의, 선택적 '라이프 스타일'로서' 재현하는 것은 생산적이지 않다고 주장하면서 드 로레티스는 레즈비언, 게이 섹슈얼리티가 '비록 신생이고 그리하여 여전히 흐릿하게 규정되거나, 미처 제대로 약호화되지도 않았고, 더 잘 구축되어 있는 형태들에 담론적으로 의존해 있음에도 불구하고 의당 사회적이고 문화적인 유형으로서' 재개념화되기를 원했다 (같은 글). 드 로레티스는 '레즈비언과 게이' 자체가─ 자연스러운 지시문으로서─ 특정한 담론, 정체성, 공동체와 라이프스타일을 문제적이지 않은 것으로 구축하거나 강조함으로써 섹슈얼리티의 이론화의 범위를 한정짓는 방식을 전면화하는 데에 특히 관심이 있었다. '백인 게이 역사기록학과 사회학 담론' 안에 있는 다른 것들 중에서도 인종과 젠더편향을 지적하면서 드 로레티스는 '퀴어'가 결정적으로 중요한 지장을 일으키는 용어로 기능하기를 의도한다. "부제인 '레즈비언과 게이'와 나란히 놓여 이제 이미 구축되어 종종 편리하고 정형화된 문구인 레즈비언과 게이로부터 어떤 비판적 거리를 표식하도록 의도되었다'(같은 글: iv).

드 로레티스가 엮어 출판한 글들은 확실히 자신이 보기에 '레즈비언과 게이'라는 문구에 내포되어 있는 성적 정체성이라는 구체화된 관념에 반한다. 아직 그 글들은 드 로레티스가 담론적 해결책으로서 제시했던 '퀴어'라는 용어에 거의 의지하지 않는다. 그 글들은 레즈비언과 게이 정체성의 획일성을 인종에서의 그 같은 문제를 참조하면서 문제삼고, 안전한 성행위에 대한 의료 담론과 상식 차원에서의 담론의 차이를 문제 삼으며, 젠더와 섹슈얼리티에 대한 정신분석학적 정식화를 문제삼지만 여전히 압도적으로 레즈비언과 게이 범주 안에서 그런 문제제기를 할 뿐이다. 드 로레티스의 특집이 있은 지 3년 후, 『차이들』은 두 번째로 퀴어 사안을 다루는 호를 출간했고, 이번에는 "더 많은 젠더 트러블: 페미니즘, 퀴어 이론을 만나다"라는 부제를 달고 주디스 버틀러의 소개 글을 함께 실었다. 기대되듯, 퀴어라는 용어는 이번 호에서 거의 절반이 넘는 저자들에 의해 사용된다. 덜 기대되었던 것은— 드 로레티스가 퀴어는 새로운 자기 성찰성을 의미하고 '우리 자신의 담론과 그것들의 만들어진 침묵을 해체하는 반드시 필요한 중요한 작업'(같은 글)을 증명할지 모른다고 희망했다는 것을 볼 때— 어떤 글의 서문을 쓰면서건 그저 지나가듯 한 번 언급되는 것에서건, 그 용어가 배치되는 상당히 틀에 박힌 방식이었다. 다시 말하자면, 이 글들은 종종 '레즈비언과 게이'라는 용어가 배치되어 왔던 것과 상당히 같은 방식으로 '퀴어'를 하나의 자명한 지명어로서 사용한다. '게이, 레즈비언, 퀴어 이론의 충격'(Grosz, 1994b: 274)과 '페미니즘과 퀴어 이론'(Hope, 1994:211)을 가볍게 참조해도 드 로레티스 자신이 여기에서 간접적으로 인정한 퀴어를 둘러싼 최근의 용어상의 통합 흔적을 볼 수 있다. 「사랑의 실행: 레즈비언 섹슈얼리티와 도착적 욕망 *The Practice of Love: Lesbian Sexuality and Perverse Desire*」(1994)에서 자신이 왜 특정한 용법을 선택했는지 설명하면서 드 로레티스(de Lauretis, 1994a: 297)는 "'퀴어 이론'에 대해 말하자면, **레즈비언**에 관해 내가 고집하는 설명방식은 출판업계에서 매우 재빨리 개념적으로 공허한 창조물이 되어버린 것 – 바로 이 저널(『차이들』 3권2호)에서 내가 레즈비언과 게이연구를 위한 작업가설로 제안했는데 – 으로부터 거리를 두는 것으로 받아들여 질 수도 있다. 퀴어를 옹호했던 이전으로부터 거리를 두면서 드 로레티스는 이제 퀴어를 자신이 한때 퀴어가 약속한다고 생각했던 정치적인 혹은 비판적인 감각이 전혀 없는 것으로 묘사한다.

어떤 방면에서 그리고 어떤 방법에서, 아마, 여지없이, 퀴어는 다루기 불편한 레즈비언과 게이를 대신하는 약칭으로 기능하는 것 이상 혹은 다른 점에서 보면 재구조화되지 않은 성적 본질주의를 보다 최신 유행에 맞게 갖춰줌으로써 또 하나의 새로운 정체성 결정체를 스스로에게 제공하는 것 이상 거의 하는 것이 없다. 확실히, "갑작스럽고 종종 무비판적인 퀴어의 수용이 때로는 그 용어에 잠재적으로 가장 유의미한 – 또한 필수적인 – 것을 선폐^{foreclose}해 왔다"(Phillips, 1994:17). 그렇지만 퀴어는 개념적으로 독특한 잠재성을 필연적으로 고정되지 않은 전투와 경합의 장으로 유지한다. 인정하건대, 퀴어가 동원되는 모든 곳에서 가려낼 수 있지는 않지만, 이는 환멸에 관한 드 로레티스의 서술의 대안이 된다. 주디스 버틀러는 정확히 어떻게 퀴어가 규범적 구조와 담론들에 지속적으로 도전할 것인지 예측하려고 애쓰지 않는다. 그와는 반대로, 버틀러는 퀴어를 그토록 효과적으로 만드는 것은 퀴어적 개입의 효과가 단일한 것이 아니고 따라서 미리 예측될 수 있지 않다는 것을 이해하는 방식이라고 주장한다. 버틀러는, 드 로레티스가 처음 퀴어를 레즈비언과 게이 대신 주창할 때 그러했듯이, 정체성 분류의 보수적 효과는 스스로를 자명한 설명 범주로 자연화하는 능력에 있다고 이해한다. 버틀러는 퀴어가 이전의 레즈비언과 게이라는 형성물이 했던 규범적 주장을 단순히 그대로 복제하는 것을 피하려면 끊임없이 형성 중인 범주로 인식되어야만 한다고 주장한다.

> 현재에는 결코 완전히 소유되지 않는, 그러나 항상 그리고 오로지 이전의 용법으로부터 그리고 긴급하고 팽창하는 정치적 목적들을 향해 재배치되고, 뒤틀리고, 괴상한 대로, 그리고 또한 아마 그 정치적 작업을 보다 효과적으로 하는 용어들을 지지하며 이에 양보하는 채로 남아야만 할 것이다.(Butler, 1993:19)

퀴어의 부분적이고 유연하며 즉각 반응하는 성질에 역점을 두면서 버틀러는 전통적인 정체성 정치학이라는 형성물을 이루는 자연화되고 자명해 보이는 식별범주들에 대한 수정안을 제시한다. 버틀러는 정체성 정치학의 논리 - 유사한 주체들을 함께 모아서 소수자 권리담론을 동원하여 공동의 목적을 달성할 수 있다는 것 - 는 자연적인 것이나 자명한 것과는 거리가 멀다는 것을 구체적인 방식으로 명시한다. 마이클 워너(Warner, 1993b:xvii)도 정체성 정치학의 '틀이 … 앵글로계 북미인의 전통에 속하가' 때문에 '왜곡된 영향을 준다'고 보면서 정체성 정치학의 문화적 특수성에 대해 유사한 생각을 밝힌다.

버틀러가 퀴어 프로젝트의 개요를 서술하는 측면에서 볼 때 - 버틀러는 그런 프로젝트란 있을 수 없다고 주장하는데 - 퀴어는 이름 부르기가 갖는 제약 효과에, 정치적 개입에 선행하여 그것을 보증하는 토대적 범주의 경계를 상술하는 것이 갖는 제약효과에 잘 맞추어져서, 오히려 비정체성의 정치학을- 혹은 심지어 반정체성의 정치학을- 옹호하는 것으로 보일지도 모르는 정체성의 정치학을 활성화시키는 것으로 생각될 수도 있다. 만약 잠재적으로 성적 정체성, 행위, 담론과 장들의 무한한 연대가 퀴어로 규정될 수도 있다면 그것이 전조하는 것은 자유주의적 다원주의라기보다는 정체성이라는 바로 그 개념 자체의 교섭이다. 부분적으로 퀴어는 해방주의적이고 정체성 의식적인 게이 정치학과 레즈비언 페미니스트 운동 안에서 인지된 한계들에 대한 응답이기 때문이다. 게이 정치학과 레즈비언 페미니스트 운동의 수사 둘 다 거의 대부분 자아 인식, 공동체와 공유된 정체성을 중심으로 구조화되어 왔다. 우연한 것이었다면, 불가피하게, 두 운동 모두 배제, 권위실추, 보편성이라는 거짓된 의식을 낳았다. 퀴어의 담론적 확산은 부분적으로는 정체성이 허구라는 지식- 즉, 물질 효과들에 의해 생산되고, 물질적 효과들을 생산하지만 그럼에도 불구하고, 임의적이고, 임시적이며, 이데올로기적으로 동기가 유발된 것이라는 말- 에 의해 가능해졌다.

　레즈비언이나 게이라고 이름 붙여진 정체성 범주와 달리 퀴어는 전통적인 정체성 정치학에서 종종 검토되지 않았던 제약들을 이론화하면서 발전했다. 결과적으로, 퀴어는 대체로 인정, 참됨, 그리고 자아 정체성의 영역 밖에서 생산되어 왔다. 버틀러(Butler, 1993a:19)에게 있어 이것은 퀴어가 가진 민주화의 잠재력이다.

　정체성 용어들이 쓰여야 하는 만큼, '드러남'이 긍정되어야 하는 만큼, 이 관념들은 자신들이 생산한 것의 배타적 작동에 대한 비판도 받아야만 한다. 드러남은 누구에게 역사적으로 선택가능하고 감당할만한 것인가?⋯누가 **어떤** 용어의 사용으로 재현되는가, 그리고 누가 배제되는가? 그 용어는 누구에게 인종적, 민족적 혹은 종교적 소속과 성적 정치학 사이의 불가능한 갈등을 주는가?

퀴어는, 그렇다면, 기반을 굳히는 것에나 심지어 스스로를 안정시키는 것에도 아무 관심이 없는 정체성 범주다. 퀴어는 심지어 스스로의 연립적이고 교섭된 지지층의 형성조차 의도된 것들을 훨씬 초과하여 배타적이고 구체화하는 효과를 낳을지도 모른다는 것을 이해함으로써 정체성에 초점을 둔 운동들에 대한 비판을 유지한다.

정체성 정치학의 불가피한 폭력을 인정하고 스스로의 헤게모니와 어떤 이해관계도 가지지 않기 때문에 퀴어는 정체성이라기보다 정체성에 대한 **비평**에 가깝다. 그러나 스스로를 정체성 정치학에 의해 활성화되는 문제회로 외부에서 상상할 수 있는 위치에 있지 않다. 퀴어의 작동이 불가피하게 끌어당기는 비판들에 반하여 스스로를 옹호하는 대신에 퀴어는 그와 같은 비판들이 퀴어가 나아갈ㅡ지금으로서는 상상불가능한ㅡ미래의 방향을 만들어 가도록 내버려 둔다. 버틀러(같은 글:20)는 "그 용어는 수정되고, 타파되고 정확히 바로 그 용어가 동원되도록 한 배제 때문에 그 용어에 반대하는 요구들에 양보할 정도까지 더 이상 쓸모가 없다고 여겨지게 될 것이다"라고 쓰고 있다. 퀴어의 동원은ㅡ퀴어에 대한 **비평과 마찬가지로**ㅡ정치적 재현 조건들ㅡ퀴어의 의도와 효과들, 현존하는 권력망들에 대한 퀴어의 저항과 그것에 의한 퀴어의 회복ㅡ을 특히 중시한다.

버틀러에게서처럼 핼퍼린에게도 퀴어는 확실히 무엇인지 알지 못한 채 앞을 가리키는 방식이다. "'퀴어'는… 일종의 이미 대상화된 병리학이나 도착을 지명하지 않는다'고 핼퍼린(Halperin, 1995:62)은 말하면서 "오히려, 퀴어는 그것의 정확한 규모와 비균질한 영역이 원칙적으로 미리 정해질 수 없는 가능성의 지평을 묘사한다." 퀴어는 항상 작업 중에 있는 정체성이고, 영구적인 되기의 장이다. "그 부정적 성향에서 이상향적인 퀴어 이론은 끝없이 실현을 향해 돌아 나아가며 그 실현이 여전히 불가능한 채로 남는 것이다"(Edelman, 1995:346). 알려지지 않은 퀴어의 잠재력이라고 다른 이론가들이 강조해 왔을 정도로, 퀴어가 가진 가장 큰 역능의 특징은 미래를 예측하지 않고도 그것을 고대하는 잠재력이라고 한다. 퀴어를 정체성 정치학에 반대된다는 측면에서 이론화하는 대신에 정체성의 전제조건과 그것의 효과 모두를 쉴 새 없이 질문하는 것이라고 묘사하는 것이 보다 더 정확하다. 퀴어는 정체성 자장의 외부에 있지 않다. 몇몇 포스트모던 건축양식들처럼 퀴어는 정체성의 안과 밖을 뒤집고 그것을 지지하는 것의 외관이 드러나도록 내보인다. 퀴어와 보다 더 전통적인 정체성 형성물들 사이의 대화가 때로 좋지 않은 것들 투성이라면 – 때때로 그러한데 – 그것은 그 둘에 공통된 것이 하나도 없기 때문이 아니다. 오히려, 진정한 것에 대한 레즈비언과 게이의 신념이나 심지어 정체성 범주의 정치적 효력과 모든 그 같은 분류를 보류하는 퀴어는 1990년대에 – 누가 그 이후라 말할 수 있을까? – 상상불가능한 미래에 대한 양가적인 안심을 제공하면서 서로의 활기를 북돋운다.

후주

1. 푸코가 젠더를 간과한 것은－ 혹은 그보다, 그의 글에서 총칭적 주체가 언제 어디서든 남성적이 되는 방식은－ 자주 그리고 심각하게 비판받아왔다. 이러한 한계에도 불구하고 푸코가 제기한 많은 주장들은 최근 페미니스트 작업에서 채택되고 확장되어져 왔다. 예로서, 다이아몬드와 퀸비(Diamond and Quinby, 1988) 보기. 레즈비언 이론에 특히 활기를 불어넣어주는 것으로 입증된 푸코주의적 연구가 주디스 버틀러의 『젠더 트러블Gender Trouble』(1990)이다.

2. 이성애는 아직 이론화되어야 할 것이 많고 이성애에 대해 최근까지 진행된 많은 초기 작업들이 게이 학자들에 의해 이루어져 왔다. 헨리 에이브러브는 이성애의 기원에 관해 조사하였고(1992) 현재 켄 플러머(Ken Plummer)의 고전 『근대 동성애자 만들기The Making of the Modern Homosexual』(1981)를 참조하여 『근대 이성애자 만들기The Making of the Modern Heterosexual』라는 제목의 책을 완성 중에 있고 조나단 카츠(Jonathan Katz)의 『이성애의 발명 The Invention of Heterosexuality』(1996)은 제목에서 분명히 보여주고 있듯 동성애의 기원에 관한 푸코의 분석에 빚을 지고 있는 책이다.

3. 여기에서는 특별히 북미를 일컫는데, 왜냐하면 호주는 에이즈 위기에 대해 조금은 다르게 반응했기 때문이다. 부분적으로 이는 미대륙의 예로부터 배운 것이 있기 때문이었다. "HIV/에이즈에 대한 호주의 반응은 정부와 비정부 부문 사이 그리고 정책 입안자와 보건 전문가들, HIV/에이즈에 가장 타격을 입은 공동체 사이의 동반자적 협조관계로 특징지어진다"(Bartos, 1993 :9). 이 전염병에 대해 영국이 어떻게 미국과는 다른 반응을 보였는지

에 대해서는 더비샤이어(Derbyshire, 1994:41-2)를 볼 것.

4. 섹슈얼리티 – 성적 행위가 개인 주체 형성의 한 부분으로서 물화된 것– 라는 관념 자체가 부분적으로 근대적인 것을 구성하는 것인 한 '전근대적 섹슈얼리티'라는 문구는 모순어법적인 면이 있다. 그럼에도 이 문구는 성과 정체성이 역사적으로 각각 다르게 이해되어 왔다는 것을 드러내야 할 필요성과 또한 그렇게 하는 것이 어렵다는 것 모두를 보여준다. 전근대적 성적 조직과 근대적 성적 조직 사이의 괴리를 자명한 것으로보다는 문제적으로 다룬 이들로는 조나단 골드버그(Goldberg, 1992)와 발레리 트롭(Traub, 1995)을 포함할 수 있다.

5. 영국 동성애 옹호운동의 상대적 온건함은 종종 1895년 '성추행'에 대한 오스카 와일드의 추문재판과 유죄선고가 불러온 마비시킬 듯한 효과 때문이라고 여겨진다. 코헨(Cohen, 1993:97-102)에 따르면 이 재판들은 빅토리아 시대의 성적 상상 안에 " '남성 동성애'라는 개념을 명백히 만들어 두는 데에 결코 작은 역할을 한 것이 아니다."

6. 이와는 약간 다른 관점에서 디밀리오는 스톤월 단속이 "1969년 뉴욕시에서 바(bar)를 불시에 단속하는 일이 더 이상 흔한 일이 아니었다"는 정확히 바로 그 이유 때문에 저항이 일어났다고 주장한다(D'Emilio, 1992b:240). 디밀리오는 동성애 옹호운동의 성공적 개입과 함께 자유주의적 시 행정부가 경찰의 추행을 억제했던 짧은 시기동안 게이 공동체의식은 바와 같은 공공장소들에서 크게 합쳐졌다고 지적한다. 그러나 1969년 봄, 시장직 선거에서의 필요에 따라 경찰 단속이 다시 시작되었고, 한때 흔한 일로 여겨졌던 것에 이제는 저항이 일어났던 것이다.

7. 에트킨슨에게는 다행스럽게도 레즈비어니즘이 페미니즘과 갖는 관계에 대해 보다 더 긍정적인 평가를 했던 후기 작업들로 자주 기억되고 있다.

8. 초기 게이 남성 해방 담론도 섹슈얼리티에 근거한 차별을 '성차별주의'로 보면서 이를 대체로 젠더의 측면에서 분석하였다. 성차별주의는 인간의 성이나 성적 지향이 어떤 이들에게는 특권, 권력 혹은 역할을 누릴 권리를 부여하는 반면 다른 이들에게는 그 사람이 가진 온전한 잠재력을 부인해도 된다는 믿음 혹은 행위이다. 우리사회 맥락 안에서 성차별주의는 기본적으로 남성 지상주의와 이성애 우월주의를 통해 발휘된다(Young, 1992:7). 이 용어는 해방주의 담론에서 지금은 '성적 대상화'라고 불리는 것을 설명

하기 위해 사용되기도 하였다.(Altman, 1973:17) 또한 "우리는 모든 억압-자본가/노동자, 백인/흑인, 제국주의자/제3세계 등-을 성차별주의, 즉, 남성 권력에 근거하고 있는 것이라고 본다'고 선언한 멜버른의 (그러나 북미의 영향을 받은 게 분명한) '급진적 레즈비언 선언(Radicalesbian Manifesto)'에서 보다 폭넓게 사용되었다(Radical Lesbian, 1973:8).

9. 이전 시기 게이 해방주의적 정체성 범주들의 부상에 대해 비록 덜 폭넓은 반응이기는 하지만 유사한 반응이 마로따(Marotta, 1981:105-8)의 다음과 같은 글에서 지적되고 있다. 드랙 퀸과 부치 레즈비언은 레즈비언 정체성과 게이 정체성이라는 대항 문화적 모델의 지배로부터 박탈감을 느꼈던 이들 중 하나였다는 것이다.

10. 데이빗 핼퍼린(Halperin, 1995:25-6)은 푸코의 작업이 어떻게 새로운 사회 운동들의 우선순위와 실천에 관계되는지에 대해 신중한 논쟁을 편다. 핼퍼린은 푸코의 작업이 새로운 운동들에 단순히 자극이 되었다고 주장하는 대신 푸코의 권력이론이 이 운동들에 대한 푸코 자신의 경험과 지식의 결과였고 푸코가 제시한 많은 영향력있는 개념들은 이후 보다 더 중재된 상황들에서 유포되었다고 주장한다.

11. 이러한 측면에서, 인도 전통 의학에 관한 논의에서 산스크리트어인 클리바트바(klibatva)와 나품사카트바(napumsakatva)를 '퀴어스러움'이라고 번역한 마이클 J. 스위트(Michael J. Sweet)와 레오나르드 즈윌링(Zwilling, 1993: 603)과 같이 이성애/동성애와 같은 이분법적 조직 바깥에서 섹슈얼리티를 논하고자 하는 학자들에게 퀴어가 유용한 범주임이 증명되었다.

12. 이 문제에 대한 활동가적인 접근은- 이름하여, '레즈비언 섹슈얼리티의 삭제'에 대해 어떻게 저항할 것인가와 같은- 앤 마리에 스미스(Anne Marie Smith, 1992:200-13)에 의해 논의된 바 있다.

참고문헌

Abbott, Sidney and Barbara Love(1973) *Sappho Was a Right-On Woman: A Liberated View of Lesbianism*, New York: Stein and Day

Abelove, Henry(1992) 'Some Speculations on the History of "Sexual Intercourse" During the "Long Eighteenth Century" in England' in Andrew Parker et al, (eds) *Nationalisms and Sexualities*, New York: Routledge, pp. 335-42

_____(1993) 'From Thoreau to Queer Politics', *The Yale Journal of Criticism* 6, 2, pp.17-27

Abelove, Henry et al. (eds)(1993) *The Lesbian and Gay Studies Reader*, New York: Routledge

Adam, Barry D.(1987) *The Rise of a Gay and Lesbian Movement*, Boston: Twayne

Alinder, Gary(1992) 'Gay Liberation Meets the Shrinks' in Jay and Young (eds) *Out of the Closets*, pp.141-4

Allison, Dorothy(1984) 'Public Silence, Private Terror' in Vance (ed.) *Pleasure and Danger*, pp.103-14

Altman, Dennis(1972) *Homosexual Oppression and Liberation*, Sydney: Angus and Robertson[1971]

_____(1973) 'What Is Sexism?', *Melbourne Gay Liberation Newsletter* 6, November-December, pp. 17-19

_____(1982) *The Homosexualization of America, The Americanization of the Homosexual*, New York: St Martin's Press

_____(1990) 'My America-and yours: A Letter to US Lesbian and Gay Activist', *Out/Look: National Lesbian and Gay Quarterly* 8, pp. 62-5

Angelides, Stephen(1994) 'The Queer Intervention', *Melbourne Journal of Politics* 22, pp. 66-88

Anon(1974) "Gay rights Now: A Gay Manifesto", *National U*, 15 July, p. 5

Balka, Christine and Andy Rose (eds) (1989) *Twice Blessed: On Being Lesbian, Gay and Jewish, Boston*: Beacon Press

Barnard, Ian(1993) 'Queer Fictions: Gay Men with/and/in/near/or Lesbian Feminisms?', *Literature, Interpretation, Theory* 4, pp. 261–74

Barthes, Roland(1978) *Mythologies*, trans. Annette Lavers, New York: Hill and Wang [Fr1957]

Bartos, Michael et al.(1993) *Meanings of Sex Between Men*, Canberra: Australian Government Publishing Service

Beam, Joseph (ed.) (1986) *In The Life*, Boston: Alyson

Bebbington, Laurie and Margaret Lyons(1975) 'Why Should We Work With You?: Lesbian-feminists Versus Gay Men', *Homosexual Conference Paper* (Melbourne), pp. 26-9

Berlant, Lauren and Elizabeth Freeman(1992) 'Queer Nationality', *Boundary* 2, 19, pp. 149-80

Berlant, Lauren and Michael Warner(1995) 'what Does Queer Theory Teach Us About X?', *PMLA*110, 3, pp. 343-9

Bersani, Leo(1995) *Homos*, Cambridge, Mass.: Harvard University Press

Bonwick, Philippa(1993) 'It is Cool to be Queer, but⋯' *Brother Sister* (Melbourne), 3 December, p. 10

Brasell, R. Bruce(1995) 'Queer Nationalism and the Musical Fag Bashing of John Greyson's The Making of "Monsters"', *Wide Angle* 16, 3, pp. 26–36

Bray, Alan(1988) *Homosexuality in Renaissance England*, London: Gay Men's Press [1982]

Brett, Philip et al. (eds) (1994) *Queering the Pitch: The New Gay and Lesbian Musicology*, New York: Routledge

Bristow, Joseph and Angelia R. Wilson (eds) (1993) *Activating Theory: Lesbian, Gay and Bisexual Politics*, London: Lawrence and Wishart

Burston, Paul and Colin Richardson(eds) (1995) *A Queer Romance: Lesbians, Gay Men and Popular Culture*, London: Routledge

Butler, Judith(1990) *Gender Trouble: Feminism and the subversion of Identity*, New York: Routledge

_____(1991) 'Imitation and Gender Insubordination' in Fuss (ed.) *Inside/Out*, pp. 13-31

_____(1993a) *Bodies That Matter: On the Discursive Limits of "Sex"*, New York: Routledge

_____(1993b) 'Critically Queer', *GLQ: A Journal of Lesbians and Gay Studies*1, 1, pp. 17‒32

_____(1994) 'Against Proper Objects', *differences: A Journal of Feminist Cultural Studies* 6, 2‒3, pp. 1‒26

Califia, Pat(1983) 'Gay Men, Lesbians, and Sex: Doing It Together', *Advocate*, 7 July, pp. 24‒7

Carbery, Graham(1993) 'Camp to Queer', *Brother Sister*(Melbourne),13 August, p. 9

Castle, Terry(1993) *The Apparitional Lesbian: Female Homosexuality and Modern Culture*, New York: Columbia University Press

Chauncey, George Jr(1982) 'From Sexual Inversion to Homosexuality: Medicine and the Changing Conceptualization of Female Deviance', *Salmagundi* 58‒9, pp. 114‒46

_____(1994) *Gay New York: Gender, Urban Culture, and the Making of the Gay Male World,1890‒1940*, New York: Harper Collins

Chee, Alexander(1991) 'A Queer Nationalism', *Out/Look: National Lesbian and Gay Quarterly* 11, pp. 15‒19

Chicago Gay Liberation Front(1992) 'A Leaflet for the American Medical Association' in Jay and Young (eds) *Out of the Closets*, pp.145‒7

Chinn, Sarah E. and Kris Franklin(1993) 'The (Queer) Revolution Will Not Be Liberalised', *Minnesota Review* 40, pp. 138‒50

Clausen, Jan(1990) 'My Interesting Condition', *Out/Look: National Lesbian and Gay Quarterly* 7, pp. 11‒21

Cohen, Ed(1991) 'Who Are We? Gay "Identity" as Political (E)motion (A Theoretical Rumination)' in Fuss (ed.) *Inside/Out*, pp. 71-92

_____(1993) *Talk on the Wilde Side: Toward a Genealogy of a Discourse on Male Sexualities*, New York: Routledge

Cossen, Steve(1991) 'Queer', *Outlook: National Lesbian and Gay Quarterly*11, pp. 20-3

Craft, Christopher(1989) ' "Kiss Me With Those Red Lips": Gender and Inversion in Bram Stoker's Dracula' in Elaine Showalter (ed.) *Speaking of Gender*, New York: Routledge, Chapman and Hall, pp. 216-42

Creed, Barbara(1994) 'Queer Theory and Its Discontents: Queer Desires, Queer Cinema' in Norma Grieve and Ailsa Burns (eds) *Australian Women: contemporary Feminist Thought*, Melbourne: Oxford University Press, pp.151-64

Crimp, Douglas (1993) 'Right On, Girlfriend!' in Warner (ed.) *Fear of a Queer Planet*, pp. 300-20

Cruikshank, Margaret (ed.) (1982) *Lesbian Studies: Present and Future*, London: The Feminist Press

_____(1992)*The Gay and Lesbian Liberation Movement*, New York: Routledge

D'Arc, Johnny(1995) *Queer Studies List*, Monday, 6 February, 18:04

Daümer, Elizabeth D.(1992) 'Queer Ethics: or, The Challenge of Bisexuality to Lesbian Ethics', *Hypatia* 7, 4 , pp. 91-105

Davidson, James(1994) 'It's Only Fashion', *London Review of Books*, 24 November, p.12

de Lauretis, Teresa(1991) 'Queer Theory: Lesbian and Gay Sexualities', *differences: A Journal of Feminist Cultural Studies* 3, 2, pp. iii-xviii

_____(1994a) 'Habit Changes', *differences: A Journal of Feminist Cultural Studies* 6, 2-3, pp. 296-313

_____(1994b) *The Practice of Love: Lesbian Sexuality and Perverse Desire*, Bloomington: Indiana University Press

D'Emilio, John(1983) *Sexual Politics, Sexual Communities: The Making of a Homosexual Minority in the United States 1940-1970*, Chicago: University of Chicago Press

_____(1992a) 'Foreword' in Jay and Young (eds) *Out of the Closets*, pp. xi-xxix

_____(1992b) *Making Trouble: Essays on Gay History, Politics and the University*, New York: Routledge

Derbyshire, Philip(1995) 'A Measure of Queer', *Critical Quarterly* 36, 1, pp. 39-45

Diamond, Irene and Lee Quinby (eds) (1988) *Feminism and Foucault: Reflections on Resistance*, Boston: Northeastern University Press

Doan, Laura (ed.) (1994) *The Lesbian Postmodern*, New York: Columbia University Press

Doty, Alexander(1993) *Making Things Perfectly Queer: Interpreting Mass Culture*, Minneapolis: University of Minnesota Press

Dowsett, G. W.(1991) *Men Who Have Sex with Men: National HIV/AIDS Education*, Canberra: Australian Government Publishing Service

Duggan, Lisa(1992) 'Making It Perfectly Queer', *Socialist Review* 22, pp. 11-31

Dynes, Wayne R. (1990) *Encyclopedia of Homosexuality*, New York: Garland Publishing

Echols, Alice(1989) *Daring To Be Bad: Radical Feminism in America 1967-1975* ,Minneapolis: University of Minnesota Press

Edelman, Lee (1994) *Homographesis: Essays in Gay Literary and Cultural Theory*, New York: Routledge

_____(1995) 'Queer Theory: Unstating Desire', *GLQ: A Journal of Lesbian and Gay Studies* 2, 4, pp. 343-6

Escoffier, Jeffrey(1990) 'Inside the Ivory Closet: The Challenges Facing Lesbian and Gay Studies', *Out/Look: National Lesbian and Gay Quarterly*1 0, pp. 40-8

_____(1992) 'Generations and Paradigms: Mainstreams in Lesbian and Gay Studies' in Minton (ed.) *Gay and Lesbian Studies*, pp. 7-26

Faderman, Lillian(1985) *Surpassing the Love of Men: Romantic Friendship and Love Between Women from the Renaissance to the Present*, London: The Women's Press

Farwell, Marilyn(1992) untitled review of *Lesbian and Gay Writing: An Anthology of Critical Essays and The Safe Sea of Women: Lesbian Fiction, 1969-89, Journal of the History of Sexuality* 3, 1, pp. 165-7

Fenster, Mark(1993) 'Queer Punk Fanzines: Identity, Community, and the Articulation of Homosexuality and Hardcore', *Journal of Communication Inquiry* 17, 1, pp. 73-94

Ferguson, Ann et al.(1981) 'On "Compulsory Heterosexuality and Lesbian Existence": Defining the Issues', *Signs: Journal of Women in Culture and Society* 7, 158-99

Foucault, Michel(1979) 'Truth and Power: Interview with Alessandro Fontano and Pasquale Pasquino' in *Michel Foucault: Power, Truth, Strategy*, Trans. Paul

Patton and Meaghan Morris, Sydney: Feral Publications, pp. 29-48

_____(1981) *The History of Sexuality, vol. 1, An Introduction* [1978], trans. Robert Hurley, Harmondsworth: Penguin [Fr1976]

_____(1988a) 'Power and Sex', *Politics, Philosophy, Culture: Interviews and Other Writings, 1977-84*, trans. DavidJ. Parent, ed. Lawrence D. Kritzman, New York: Routledge, pp. 110-24 [Fr1977]

_____(1988b) 'What Is An Author?' in David Lodge (ed.) *Modern Criticism and Theory: A Reader*, London: Longman, pp. 197-210 [Fr1969]

Friedan, Betty(1965) *The Feminine Mystique*, Harmondsworth: Penguin [1963]

Frye, Marilyn(1983) *The Politics of Reality: Essays in Feminist Theory*. New York, The Crossing Press

Fuss, Diana(1989) *Essentially Speaking: Feminism, Nature and Difference*, New York: Routledge

_____(ed.) (1991) *Inside/Out: Lesbian Theories, Gay Theories*, New York: Routledge

Galbraith, Larry(1993) 'Who Are We Now? The Gay vs Queer Debate', *Outrage*, July, pp. 22-5, 71

Garber, Marjorie(1995) *Vice Versa: Bisexuality and the Eroticism of Everyday Life*, New York: Simon and Schuster

Gates, Henry Louis (ed.) (1985) *'Race', Writing and Difference*, Chicago: University of Chicago Press

A Gay Male Group (1992) 'Notes on Gay Male consciousness Raising' in Jay and Young (eds) *Out of the Closets*, pp. 293-301

Gay Pride Week News(1973) 1, August

Gay Revolution Party Manifesto(1992) in Jay and Young (eds) *Out of the Closets*, pp. 342-5

Goldberg, Jonathan(1992) *Sodometries: Renaissance Tests, Modern Sexualities*, Stanford: Stanford University Press

Graham, Paula(1995) 'Girl's Camp? The Politics of Parody' in Tasmin Wilton (ed.) *Immortal, Invisible: Lesbians and the Moving Image*, London: Routledge, pp. 163-81

Grosz, Elizabeth(1994a) 'Experimental Desire: Rethinking Queer Subjectivity' in

Joan Copjec (ed.) *Supposing the Subject*, London: Verso, pp. 133-57

_____(1994b) 'The Labors of Love: Analyzing Perverse Desire: An Interrogation of Teresa de Lauretis's The Practice of Love', *differences: A Journal of Feminist Cultural Studies* 6, 2-3, pp. 274-95

_____(1995) *Space, Time and Perversion: The Politics of bodies*, Sydney: Allen and Unwin

Gurvich, Victoria(1995) 'Heterosexual Advertising Plan Angers AIDS Group', *Age*(Melbourne), 15 March, p. 2

Hall, Radclyffe(1968) *The Well of Loneliness*, London: Corgi Books [1928]

Hall, Stuart(1994) 'The question of Cultural Identity' in The Polity Reader in *Cultural Theory*, Cambridge: Polity Press, pp. 119-25

Halberstam, Judith(1994) 'F2M: The Making of Female Masculinity' in Doan (ed.) *The Lesbian Postmodern*, pp. 210-28

Halperin, David (1990) 'Homosexuality: A Cultural Construct. An Exchange with Richard Schneider' in *One Hundred Years of Homosexuality and Other Essays on Greek Love*, New York: Routledge, pp. 41-53

_____(1995) *Saint Foucault: Towards a Gay Hagiography* ,New York: Oxford University Press

Hanson, Ellis (1991) 'Undead' in Fuss (ed.) *Inside/Out*, pp. 324-40

_____(1993) 'Technology, Paranoia and the Queer Voice', *Screen* 34, 2, pp. 137-61

Haraway, Donna(1989) 'The Biopolitics of Postmodern Bodies: Determinations of Self in Immune System Discourses', *differences: A Journal of Feminist Cultural Studies* 1, 1, pp. 3-43

Hawkins, Peter(1975) 'Effeminism', *Homosexual Conference Papers* (Melbourne), pp. 23-5

Hayes, Susan(1994) 'Coming Over All Queer', *New Statesman and society*, 16 September, pp. 14-15

Hennessy, Rosemary(1993) 'Queer Theory: A Review of the differences Special Issue and Wittig's The Straight Mind', *Signs: Journal of Women in Culture and Society* 18, pp. 964-73

_____(1994) 'Queer Theory, Left Politics', *Rethinking Marxism* 7, 3, pp. 85-111

Herkt, David(1995) 'Being Gay', *RePublica*, 3, pp. 36-50

Hocquenghem, Guy(1993) *Homosexual Desire*, Durham: Duke University Press [1972]

Hodges, Lucy(1994) 'Queen of "Queer" Courts Controversy', *Australian*, 29 June, p. 27

Hope, Trevor(1994) 'The "Returns" of Cartography: Mapping Identity - In (-) Difference', *differences: A Journal of Feminist Cultural Studies*, 6, 2-3, pp. 208-11

Hurley, Michael and Craig Johnston(1975) 'Campfires of the Resistance: Theory and Practice for the Liberation of Male Homosexuals', *Homosexual Conference Paper* (Melbourne), pp. 24-9

Hutchins, Loraine and Lani Kaahumanu (eds) (1991) *Bi Any Other Name: Bisexual People Speak Out*, Boston: Alyson

Irigaray, Luce(1981) 'When the Goods Get Together' in Elaine Marks and Isabelle de Courtivron (eds) *New French Feminisms*, New York: Schocken, pp. 107-11 [Fr1977]

Jackson, Earl Jr(1995) *Strategies of Deviance: Studies in Gay Male Representation*, Bloomington: Indiana University Press

Jagose, Annamarie(1994) *Lesbian Utopics*, New York: Routledge

Jay, Karla and Allen Young (eds) (1992) *Out of the Closets: Voices of Gay Liberation*, London: Gay Men's Press [1972]

Jeff(1972) 'Aversion Therapy', *Gay Rays* Melbourne), December, p. 7

Jeffreys, Sheila(1993) *The Lesbian Heresy: A Feminist Perspective on the Lesbian Sexual Revolution*, Melbourne: Spinifex Press

_____(1994) 'The Queer Disappearance of Lesbians: Sexuality in the Academy', *Women's Studies International Forum* 17, 5, pp. 459-72

Johnston, Jill(1973) *Lesbian Nation: The Feminist Solution*, New York: Simon and Schuster

Jones, Stephen(1992) 'Queerer than Fuck!', *Outrage*, November, pp. 26-8

Kahey, Regina(1976) 'A Good Gay History Bursts Out of the Closet', *Village Voice*, 6 December, p. 94

Katz, Jonathan(1976) *Gay American History: Lesbians and Gay Men in the U.S.A.*,

New York: Thomas Cromwell

_____(1983)*Gay/Lesbian Almanac: A New Documentary*, New York: Harper and Row

_____(1996) *The Invention of Heterosexuality*, New York: Penguin

Kamp, David(1993) 'The Straight Queer', *GQ*, July, pp. 95-9

Koestenbaum, Wayne(1993) 'Excess Story', *Village Voice Literary Supplement*, October, p. 18

Lauritsen, John and David Thorstad(1974) *The Early Homosexual Rights Movement*, New York: Times Change Press

Leng, Kwok Wei and Kaz Ross(1994) 'Theorising Corporeality: Bodies, Sexuality and the Feminist Academy [interview with Elizabeth Grosz]', *Melbourne Journal of Politics* 22, pp. 3-29

Link, David (1993) 'I Am Not Queer', *Reason* 25, 4, pp. 45-9

McIntosh, Mary(1992) 'The Homosexual Role' in Stein (ed.) *Forms of Desire*, pp. 25-42

Maggenti, Maria(1991) 'Women As Queer Nationals', *Out/Look: National Lesbian and Gay Quarterly* 11, pp. 20-3

Malinowitz, Harriet(1993) 'Queer Theory: Whose Theory?', *Frontiers* 13, pp. 168-84

Marotta, Toby(1981) *The Politics of Homosexuality*, Boston: Houghton Mifflin

Martin, Biddy(1994a) 'Extraordinary Homosexuals and the Fear of Being Ordinary', *differences: A Journal of Feminist Cultural Studies* 6, 2-3, pp. 100-25

_____(1994b) 'Sexualities Without Genders and Other Queer Utopias', *Diacritics* 24, 2-3, pp.1 04-21

Merck, Mandy(1993) *Perversions: Deviant Readings*, London: Virago Press

Meyer, Richard(1991) 'Rock Hudson's Body' in Fuss (ed.) *Inside/Out*, pp. 259-88

Minton, Henry L. (ed.) (1992) *Gay and Lesbian Studies*, New York: Haworth Press

Moraga, Cherríe and Gloria Anzaldúa (eds) (1983) *This Bridge Called My Back: Writings by Radical Women of Color*, New York: Kitchen Table Press

Morton, Donald(1993a) 'The Politics of Queer Theory in the (Post)Modern

Moment', *Genders* 17, Fall, pp. 121-50

_____(1993b) "'Radicalism", "Outing", and the Politics of (Sexual) Knowledges', *Minnesota Review* 40, pp. 151-6

_____(1995) 'Birth of the Cyberqueer', *PMLA* 110, 3, pp. 369-81

Nestle, Joan(1984) 'The Fem Question' in Vance (ed.) *Pleasure and Danger*, pp. 232-41

_____(1988) *A Restricted Country: Essays and Short Stories*, London: Sheba Feminist Press [1987]

Newton, Esther and Shirley Walton(1984) 'The Misunderstanding: Toward A More Precise Sexual Vocabulary' in Vance (ed.) *Pleasure and Danger*, pp. 242-50

Norton, Rictor(1992) *Mother Clap's Molly House: The Gay Subculture in England 1700-1830*, London: Gay Men's Press

Nunokawa, Jeff(1991) "'All the Sad Young Men": AIDS and the Work of Mourning' in Fuss (ed.) *Inside/Out*, pp. 311-23

O'Sullivan, Sue and Pratibha Parmar(1989) *Lesbians Talk Safer Sex*, London: Scarlet Press

Palmer, Paulina(1993) *Contemporary Lesbian Writing: Dreams, Desire, Difference*, Buckingham: Open University Press

Paris, Sherri(1993) Untitled review of *A Lure of Knowledge: Lesbian Sexuality and Theory and Inside/Out: Lesbian Theories, Gay Theories, Signs: A Journal of Women in Culture and Society* 18, 4, pp. 984-8

Parnaby, Julia(1993) 'Queer Straits', *Trouble and Strife* 26, pp. 13-16

Phillips, David(1994) 'What's So Queer Here? Photography at the Gay and Lesbian Mardi Gras', *Eyeline* 26. pp. 16-19

Plummer, Ken (ed.) (1981) *The Making of the Modern Homosexual*, London: Hutchinson

Powers, Ann(1993) 'Queer in the Streets, Straight in the Sheets: Notes on Passing', *Utne Reader*, Nov./Dec., pp. 74-80

Radical Lesbians(1973) 'The Radicalesbians Manifesto', *Melbourne Gay Liberation Newsletter*, September, pp. 8-9

Reed, Christopher(1993) "'Queer" a Sneer no more', *Age*, 30 June, p. 15

Rich, Adrienne(1986) *Blood, Bread and Poetry: Selected Prose, 1979-1985*, New York, W. W. Norton

Riley, Denise(1988) *Am I That Name? Feminism and the Category of 'Women' in History*, Minneapolis: University of Minnesota Press

Rubin, Gayle(1981) 'The Leather Menace', in Samois (ed.) *Coming to Power. Writings and Graphics on Lesbian S/M*, Berkeley: Samois, pp. 194-229

_____(1993) 'Thinking Sex' in Abelove at al, (eds) *The Lesbian and Gay Studies Reader*, pp. 3-44

Saalfield, Catherine and Ray Navarro(1991) 'Shocking Pink Praxis: Race and Gender on the ACT UP Frontlines' in Fuss (ed.) *Inside/Out*, pp. 341-69

Schneir, Miriam (ed. and Intros)(1994) *Feminism in Our Time: The Essential Writings, World War II to the Present*, New York: Vintage Books

Schramm-Evans, Zoë(1993) 'Internal Politics', *Body Politic* 4, pp. 39-41

Schwichtenberg, Cathy (ed.)(1993) *The Madonna Connection: Representational Politics, Subcultural Identities, and Cultural Theory*, Sydney: Allen and Unwin

Sedgwick, Eve Kosofsky(1990) *Epistemology of the Closet*, Berkeley: University of California Press

_____(1992) *Between Men: English Literature and Male Homosocial Desire*, New York: Columbia University Press [1985]

_____(1993a) *Tendencies*, Durham :Duke University Press

_____(1993b) 'Queer Performativity: Henry James's *The Art of the Novel*', *GLQ: A Journal of Lesbian and Gay Studies 1, 1, pp. 1-16*

Seidman, Steven(1993) 'Identity and Politics in a "Postmodern" Gay Culture: Some Historical and Conceptual Notes' in Warner (ed.) *Fear of Queer Planet*, pp. 105-42

_____(1994) 'Symposium: Queer Theory/Sociology: A Dialogue', *Sociological Theory* 12, 2 pp. 166-77

Shelley, Martha(1992) 'Gay Is Good' in Jay and Young (eds) *Out of the Closets*, pp. 31-4

Smith, Anne Marie(1992) 'Resisting the Erasure of Lesbian Sexuality: A Challenge to Queer Activism' in Ken Plummer (ed.) *Modern Homosexualities: Fragments of Lesbian and Gay Experience*, London: Routledge, pp. 200-13

Smith, Barbara(1993) 'Where's the Revolution?', *Nation*, 5 July, pp. 12-16

Smyth, Cherry(1992) *Lesbians Talk Queer Notions*, London: Scarlet Press

Stein, Arlene(1991) 'Sisters and Queers: The Decentering of Lesbian Feminism', *Socialist Review* 20, pp. 33-55

Stein, Edward (ed.) (1992a) *Forms of Desire: Sexual Orientation and the Social Constructionist Controversy*, New York: Routledge

Stein, Edward (1992b) 'Conclusion: The Essentials of Constructionism and the Construction of Essentialism' in Stein (ed.) *Forms of Desire*, pp. 325-53

Sweet, Michael J. and Leonard Zwilling(1993) 'The First Medicalization: The Taxonomy and Etiology of Queerness in Classical Indian Medicine', *Journal of the History of Sexuality* 3, pp. 590-607

Third World Gay Revolution (Chicago) and Gay Liberation Front (Chicago)(1992) 'Gay Revolution and Sex Roles' in Jay and Young (eds) *Out of the Closets*, pp. 252-9

Thomas, Keith(1980) 'Rescuing Homosexual History', *New York Review of Books*, 4 July, pp. 26-9

Thompson, Denise(1985) *Flaws in the Social Fabric: Homosexuals and Society in Sydney*, Sydney: George Allen and Unwin

Traub, Valerie(1995) 'The Psychomorphology of the Clitoris', *GLQ: A Journal of Lesbian and Gay Studies* 2, 1-2, pp. 81-113

Trebay, Guy(1990) 'In Your Face', *Village Voice*, August14, pp. 34-9

Troubridge, Una(1973) *The Life of Radclyffe Hall*, New York: Citadel, New York [1963]

Vaid, Urvashi(1995) *Virtual Equality: The Main streaming of Lesbian and Gay Liberation*, New York: Anchor Books

Vance, Carol (ed.)(1984) *Pleasure and Danger: Exploring Female Sexuality*, Boston: Routledge and Kegan Paul

Warner, Michael(1992) 'From Queer to Eternity: An Army of Theorists Cannot Fail', *Village Voice Literary Supplement*, June, pp. 18-19

_____(1993a) *Fear of a Queer Planet: Queer Politics and Social Theory*, Minneapolis: University of Minnesota Press

_____(1993b) 'Introduction' in Warner (ed.) *Fear of a Queer Planet*, pp. vii-xxxi

Watney, Simon(1991) 'School's Out' in Fuss (ed.) *Inside/Out*, pp. 387-401

_____(1992) 'Homosexual, Gay or Queer? Activism, Outing and the Politics of Sexual Identities', *Outrage*, April, pp. 18-22

Watson, Lex(1974) 'The Patient as Victim', *Gay Liberation Press* (Sydney) 4, October, pp. 23-32

Weedon, Chris(1987) *Feminist Practice and Poststructuralist Theory*, Oxford: Basil Blackwell

Weeks, Jeffrey(1977) *Coming Out: Homosexual Politics in Britain from the Nineteenth Century to the Present*, London: Quartet Books

_____(1985) *Sexuality and Its Discontents: Meanings, Myths and Modern Sexualities*, London: Routledge and Kegan Paul

Weston, Kath(1993) 'Do Clothes Make the Woman?: Gender, Performance Theory, and Lesbian Eroticism', *Genders* 17, pp. 1-21

Wiegman, Robyn(1994) 'Introduction: Mapping the Lesbian Postmodern' in Doan (ed.) *The Lesbian Postmodern*, pp. 1-20

Wills, Sue(1972) 'Intellectual Poofter Bashers', *Camp Ink* 2, 11, pp.4-11

Wittig, Monique(1992) *The Straight Mind and Other Essays*, Boston: Beacon

Wittman, Carl(1992) 'A Gay Manifesto' in Jay and Young (eds) *Out of the Closets*, pp. 330-42

Wolfe, Susan J. and Julia Penelope (eds) (1993) *Sexual Practice, Textual Theory: Lesbian Cultural Criticism*, Cambridge, Mass.: Blackwell

Wotherspoon, Garry(1991) *'City of the Plain': History of a Gay Sub-Culture*, Sydney: Hale and Iremonger

Yingling, Thomas(1991) 'AIDS in America: Postmodern Governance, Identity, and Experience' in Fuss (ed.) *Inside/Out*, pp. 291-310

Young, Allen(1992) 'Out of the Closets, Into the Streets' in Jay and Young (eds) *Out of the Closets*, pp .6-31

Zimmerman, Bonnie(1995) 'From Lesbian Nation to Queer Nation', interview with Susan Sayer, *Hecate* 21, 2, pp. 29-43 queer

찾아보기

역자 후기

퀴어 이론을 설명하는 행위란 마치 규정되어 있지 않은, 정해져 있지 않은 어떤 것에 대해, 순간의 의미를 잡아내어 그것을 설명해 보려는, 어쩌면 무모해 보이는 것일지도 모른다. 그러나 의미가 고정되어 있지 않은 어떤 것을 인위적으로 정지시켜 설명을 해보려 하고, 소통을 해보려 노력하는 것은 어리석어 보일 수 있지만 또한 매우 인간적이고 순수한 행위이기도 하다. 저자인 애너매리 야고스가 퀴어 이론에 대해 설명해 보려고 시도한 이 책은 저자가 학자이기도 하지만 동시에 소설을 쓰는 작가이기도 한 탓인지 사회과학자들이 읽기에는 조금은 불편한 문장으로 쓰여 있기도 할 것이다. 또한, 간단명료한 것이란 없고 모든 것이 가능태를 가진 과정 중에 있다고 보는 것이 퀴어 이론이 주요하게 주장하는 바이므로 더욱이 그것을 설명하는 간단명료치 않은 여러 이론가들의 설명을 저자의 시각과 언어로 다시 설명하는 것 또한 간단명료한 방법으로 이루어지지는 않고 있다. 간단명료하지 않은 것에 대한 간단명료하지 않은 설명을 원래 쓰인 언어가 아닌 다른 언어로 번역하는 일은 그러니 어쩌면 처음부터 많은 것을 포기하고 시작하지 않으면 안 되는 작업이었던 것도 같다. 그럼에도 불구하고 이 책을 영어원문으로 읽을 기회가 없는 분들에게 이 번역서는 적어도 읽어볼만한 가치는 충분히 있다고 여겨진다. 심지어 책에 등장하는 많은 역사적 사건들이 한국적 맥락과 관계가 적다고 여기는 이들에게조차 저자가 짚고 있는 것들을 따라가다 보면 이내 한국적 맥락에도 충분히 적용 가능한 것이 많다는 것을 쉽사리 알 수 있게 될 것이다. 그리고 한국사회에서도 이 책에서 언급된 많은 일들과 문제들이 고스란히 반복되고 있다고 해도 그 전망조차 재탕하게 되지는 않을 수 있도록 이 번역서가 어떤 기여를 할 수 있기를 바라는 마음이다.

번역은 나누고자 하는 마음에서 비롯되는 행위라는 어느 분의 말이 기억난다. 다른 여러 일을 제쳐두고 우선 이 책을 번역하고자 마음을 먹었을 때 나의 마음이 딱 그랬던 것 같다. 원 저자인 애너매리 야고스의 인심 좋은 지지도 많은 힘이 되어주었다. 한국사회 지식유통망이 가진 문제점들 중 하나가 많은 것들이 제때에 유통되고 소통되고 충분히 검토되고 논의되지 못한 채 대충 넘겨져 버림으로써 논의의 폭과 깊이가 얕은 유행의 수준 이상으로 나아가지 못하는 경우가 많다는 것이다. 이번 번역 작업은 그러한 병폐를 조금이나마 고치는 데에도 기여를 할 수 있기를 바래본다.

번역작업을 이런 저런 사정으로 좀 길게 끌었다. 그동안 응원해 주신 많은 분들께 이 자리를 빌어 감사드린다. 우선, 한국에서 편히 번역본을

내는 것에 대해 저자의 의견에 동의해준 멜버른 대학교에 감사드린다. 이 책을 흔쾌히 출판 결정 내려준 <여성문화이론연구소> 출판기획위원회에도 감사드리며 꼼꼼한 작업과 필요한 응원을 적절한 때에 늘 해주었던 사미숙 선생님께도 감사드린다. 그리고 늘 내게 한결같은 믿음과 응원을 보내주는 리옌옌과 내 삶의 동반자 J.H.에게도 감사와 사랑을 전한다.

2012년 7월

박이은실